POÉSIES
CHOISIES
I
(1545-1560)

W9-BVD-095

JE SÈME A TOUT VENT

CHÂTEAU DE LA POSSONNIÈRE, PRÈS DE VENDÔME, OÙ NAQUIT RONSARD

CLASSIQUES LAROUSSE

Fondés par   Dirigés par

FÉLIX GUIRAND   **LÉON LEJEALLE**

Agrégé des Lettres   Agrégé des Lettres

RONSARD

POÉSIES CHOISIES

I

avec une Notice biographique, une Notice historique
et littéraire, des Notes explicatives, des Jugements,
un Questionnaire et des Sujets de devoirs,

par

PAUL MAURY

Agregé des Lettres

LIBRAIRIE LAROUSSE • PARIS VI

17, rue du Montparnasse, et boulevard Raspail, 114

Succursale : 58, rue des Écoles (Sorbonne)

PIERRE DE RONSARD ET SON TEMPS

	LA VIE ET L'ŒUVRE DE RONSARD	LE MOUVEMENT INTELLECTUEL ET ARTISTIQUE	LES ÉVÉNEMENTS HISTORIQUES
1524	10 ou 11 septembre : naissance de Pierre de Ronsard à Couture.	Érasme : *De libero arbitrio*. Luther : recueils de *Cantiques*. Construction de l'« Escalier du château de Blois ».	Le Milanais perdu, puis reconquis. Bayard tué. Révolte des paysans en Allemagne.
1533	Au collège de Navarre, à Paris, où il ne reste que six mois.	Maurice Scève découvre le tombeau de Laure de Noves. Naissance de Montaigne. Mort de l'Arioste.	Mariage du futur Henri II avec Catherine de Médicis. Henri VIII épouse Anne Boleyn. Il est excommunié.
1536	Page du dauphin François; témoin de la mort de celui-ci à Tournon. Page de Charles, duc d'Orléans.	Premier séjour à Genève de Calvin. Mort d'Érasme, de Lefèvre d'Étaples.	François Ier signe les capitulations avec les Turcs. Genève opte pour la Réforme.
1537	Il suit en Écosse Madeleine de France, mariée à Jacques V.	Lazare de Baïf : traduction d'*Électre*. Première bible anglaise imprimée.	Fondation de la Compagnie de Jésus. Réforme en Norvège.
1540	Nouveau voyage en Écosse et naufrage. Mis « hors de page ». Voyage en Allemagne avec Lazare de Baïf. Demi-surdité.	Dolet : *De la manière de bien traduire*. Érasme : première édition complète posthume. Mort de Guillaume Budé.	Paul III approuve les statuts des jésuites. Établissement des jésuites à Paris et à Rome. L'Espagne maîtresse du Milanais.
1543	Il est tonsuré au Mans par l'évêque René Du Bellay.	Copernic : *De revolutionibus orbium coelestium*. Dolet : traduction de Cicéron. Mort de Hans Holbein.	
1544	Mort de son père. Il suit les leçons de l'helléniste Dorat chez Lazare de Baïf.	Maurice Scève : *Délie*. Mort de Marot.	Victoire française à Cérisoles.
1547	Dorat, principal du collège de Coqueret. Ronsard et J. Antoine de Baïf l'y suivent.	Marguerite de Navarre : les *Marguerites de la marguerite des princesses*. Michel-Ange entreprend de continuer Saint-Pierre de Rome, commencé par Bramante.	Mort de François Ier et de Henri VIII. Avènement de Henri II. Charles Quint vainqueur des princes protestants allemands à Mühlberg. Mort de Fernand Cortez.
1550	Les quatre premiers livres des *Odes*, suivis du *Bocage*.	Théodore de Bèze : *Abraham sacrifiant*. Calvin : *De scandalis*. Débuts de l'imprimerie Plantin à Anvers.	Rachat de Boulogne à l'Angleterre. Dissolution de l'Église réformée de Ferrare.

	Ronsard		Histoire
1552	Les Amours. Le cinquième livre des Odes. Curé de Mareuil-lès-Meaux.	Jodelle: Cléopâtre captive. Baïf: Amours de Méline. Rabelais: Quart Livre. Naissance d'Agrippa d'Aubigné.	Siège de Metz, défendu par François de Guise contre Charles Quint. Camoëns emprisonné au Portugal.
1554	Deuxième Bocage. Mélanges. Curé de Challes.	Calvin: Defensio... Olivier de Magny: les Gayetez.	
1555	La Continuation des Amours. Les Hymnes. Curé et baron d'Availlé. Il rencontre Marie Dupin.	Jodelle: Didon. Louise Labé: Poésies. Palestrina: Messe du pape Marcel.	Paix d'Augsbourg. Avènement du pape Paul IV, qui restaure l'Inquisition. Les jésuites à Prague.
1559	Conseiller et aumônier ordinaire du roi.	Amyot: traduction de la Vie des hommes illustres de Plutarque. Du Bellay: le Poète courtisan. Calvin fonde l'académie de Genève.	Avril: Paix du Cateau-Cambrésis. Juillet: mort de Henri II. Avènement de François II. Premier synode des Églises réformées de France.
1560	Première édition collective des Œuvres (4 vol.).	Publication des Psaumes de Marot, à Genève. Mort de Du Bellay.	Conjuration d'Amboise. Mort de François II. Avènement de Charles IX.
1562	Les Discours.	Le Tasse: Rinaldo. Sainte Thérèse d'Avila écrit Libro de su vida. Naissance de Lope de Vega.	Massacre de huguenots à Wassy. Première guerre de religion. Guise prend le pouvoir à Paris.
1563	Réponse aux injures et calomnies des ministres de Genève.	Mort d'Étienne de La Boétie. On commence à bâtir l'Escurial. Véronèse peint les Noces de Cana.	Assassinat d'Henri de Guise. Édit d'Amboise. Élisabeth proclame les 39 articles organisant l'Église d'Angleterre. Fin du concile de Trente.
1565	Elégies, Mascarades et Bergerie. Participe au voyage de Charles IX à travers le royaume. Reçoit le roi dans son prieuré de Saint-Cosme-en-l'Isle.	Théodore de Bèze: Histoire de la vie et mort de Calvin. Mort de Louise Labé. Philibert Delorme construit les Tuileries.	Révolte des Pays-Bas contre l'Espagne.
1572	La Franciade.	Amyot: les Œuvres morales de Plutarque. Montaigne commence les Essais.	24 août: nuit de la Saint-Barthélemy.
1578	Amours d'Hélène. Cinquième édition collective des Œuvres (7 vol.).	Du Bartas: la Création. Germain Pilon: Tombeau des mignons, à Saint-Paul.	
1585	27 décembre. — Mort de Ronsard à Saint-Cosme-en-l'Isle.	Robert Garnier: Œuvres.	Début de la VIIIe guerre de religion. Manifestation de Péronne.

RÉSUMÉ CHRONOLOGIQUE DE LA VIE DE RONSARD

10 ou 11 septembre 1524. — Naissance de Pierre de Ronsard à Couture (Vendômois).

1536. — Ronsard page du dauphin François, puis du duc d'Orléans.

1537-1539. — Séjours de Ronsard en Écosse.

1540. — Ronsard, « hors de page », devient écuyer du dauphin Henri. Séjour en Allemagne. Il rentre, malade, atteint d'une demi-surdité.

1543. — Il reçoit la tonsure.

1544. — Mort du père de Ronsard.

1544-1549. — Il suit chez Lazare de Baïf, puis au collège Coqueret, les leçons de l'helléniste Dorat. — La « Brigade ».

1550. — Les quatre premiers livres des *Odes*.

1552. — Les *Amours*. — Ronsard curé de Mareuil-lès-Meaux.

1554. — Ronsard curé de Challes.

1555-1556. — La *Continuation des Amours*. Les *Hymnes*. Ronsard curé-baron d'Availlé.

1559. — Ronsard conseiller et aumônier ordinaire du roi.

1560. — Première édition collective des *Œuvres* (4 tomes).

1562-1563. — Les *Discours*.

1565. — *Élégies, Mascarades et Bergerie*. Ronsard prieur de Saint-Cosme-en-l'Isle (Touraine).

1566. — Ronsard prieur de Croixval (Vendômois).

1572. — *La Franciade*.

Vers 1575. — Ronsard prieur de Saint-Gilles à Montoire (Vendômois).

1578. — Cinquième édition collective des *Œuvres* (7 volumes).

1584. — Dernière édition collective des *Œuvres* (in-folio).

27 décembre 1585. — Mort de Ronsard à Saint-Cosme.

1587. — Première édition collective posthume des *Œuvres* (10 tomes).

Ronsard avait trente ans environ de moins que Rabelais, vingt-huit ans de moins que Marot, seize ans de moins que Dorat, quinze ans de moins que Calvin, quatre ans de moins que Pontus de Tyard, deux ans de moins que J. Du Bellay. Il avait quatre ans de plus que R. Belleau, huit ans de plus que Jodelle, neuf ans de plus que Montaigne, dix ans de plus que Baïf, vingt-deux ans de plus que Desportes, vingt-huit ans de plus qu'A. d'Aubigné, trente et un ans de plus que Malherbe.

INTRODUCTION

LES ANNÉES D'ENFANCE ET DE JEUNESSE
(1524-1544)

Ce qui se passait jusqu'en 1544. — EN POLITIQUE. *Les guerres d'Italie : Louis XII (1498-1515) : Agnadel (1509) ; François Ier : Marignan (1515).*

Les guerres contre Charles Quint : Pavie (24 février 1525) ; captivité du roi ; quatrième guerre : Cérisoles (1544).

Les conquêtes et explorations d'outre-mer : Magellan (1522) ; Cortès au Mexique, Pizarre au Pérou, Almagro au Chili ; Jacques Cartier au Canada (1533-1543).

La crise religieuse : la confession d'Augsbourg (1530) ; Ignace de Loyola à Montmartre (1534) ; Calvin à Genève (1541).

DANS LA PHILOSOPHIE ET LES SCIENCES. *Le mysticisme : Paracelse ; le platonisme : Léon l'Hébreu ; l'astronomie : Copernic :* De revolutionibus orbium coelestium *(1543).*

DANS LES ARTS PLASTIQUES. En Italie : *Raphaël :* le Parnasse ; *Titien :* la Fontaine d'amour ; *Le Corrège :* Antiope ; *Michel-Ange :* fresques de la Sixtine. En Allemagne : *Dürer :* Mélancholia.

En France : *Les Juste :* tombeau de Louis XII ; *Chambord, Blois (aile François Ier) ; Fontainebleau ; Saint-Germain. Les artistes italiens en France :* Vinci, Le Primatice, Cellini.

EN MUSIQUE. *Josquin des Prés. Clément Jannequin :* Bataille de Marignan *et* Chant des oiseaux *(1528) ; Goudimel fonde à Rome son école (1520).*

EN LITTÉRATURE. Les humanistes : *Érasme ; Guillaume Budé ; le Collège de France (1530) ; Lazare de Baïf, traducteur d'*Électre *(1537).* Les poètes néolatins : *Marulle, Jean Second.*

La littérature italienne : *Trissin :* Sophonisbe, *la première tragédie moderne (1515) ; Sannazar :* l'Arcadie ; *Machiavel :* le Prince *(1531) ; l'Arioste :* Roland furieux *(1532).*

La littérature française : *Jean Lemaire de Belges :* Illustration des Gaules *(1509) ; Rabelais :* Pantagruel *(1532) ;* Gargantua *(1534) ; Calvin :* l'Institution chrétienne, *en français (1541) ; Marot (mort en 1544) :* Poésies ; *Héroët :* la Parfaite Amie *(1542) ; Maurice Scève :* Délie *(1544) ; Scève découvre à Avignon le tombeau de Laure, chantée par Pétrarque (1533).*

Ronsard jusqu'en 1544. *La naissance.* — Louis de Ronsard, descendant anobli d'une vieille famille vendômoise[1] (« sergents fieffés » de la forêt de Gastine, qui occupait une partie importante de la région), courtisan brave et lettré, reçoit à Agnadel le collier de Saint-Michel ; il épouse Jeanne Chaudrier du Bouchaige (1514) ; il remanie dans le goût du temps son manoir de la Possonnière, à Couture, sur le Loir, diocèse du Mans ; il orne les portes et fenêtres, et jusqu'aux celliers, pourvus de crus variés, de devises françaises et latines, chrétiennes et païennes : AVANT PARTIR[2] ; VOLVPTATI ET GRATIIS... Son sixième et dernier enfant, Pierre, y naît probablement le samedi 10 septembre 1524, l'année de Pavie[3] (les années commençaient à Pâques).

> L'an que le roi François fut pris devant Pavie,
> Le jour d'un samedi, Dieu me prêta la vie
> L'onzième de septembre, et presque je me vi
> Tout aussitôt que né de la Parque ravi.
>
> (*Élégie à Pierre de Paschal*, 1554.)

En fait, le 11 septembre 1524 était un dimanche ; il se peut que Ronsard ait confondu le jour de la naissance et le jour du baptême. Le dernier vers fait allusion soit à sa débilité, soit à la chute du nouveau-né dans un pré fleuri alors qu'on le portait baptiser à l'église de Couture. Binet, dans sa *Biographie de Ronsard*, raconte : « Peu s'en fallut que le jour de sa naissance ne fût aussi le jour de son enterrement ; car, comme on le portait baptiser du château de la Possonnière en l'église du lieu, celle qui le portait, traversant un pré, le laissa tomber par mégarde sur l'herbe et sur les fleurs qui le reçurent plus doucement ; et eut encore cet accident une autre rencontre, qu'une demoiselle qui portait un vaisseau plein d'eau de roses, pensant aider à recueillir l'enfant, lui renversa sur le chef

---

1. Toutefois, une tradition de famille, que le poète a recueillie avec non moins de piété que de complaisance, faisait venir les Ronsard des bords du Danube, du pays d'Orphée.

> Or, quant à mon ancêtre, il a tiré sa race
> D'où le glacé Danube est voisin de la Thrace :
> Plus bas que la Hongrie, en une froide part,
> Est un seigneur nommé le marquis de RONSART,
> Riche d'or et de gens, de villes et de terre.
> Un de ses fils puînés, ardent de voir la guerre,
> Un camp d'autres puînés assembla hasardeux,
> Et quittant son pays, fait capitaine d'eux,
> Traversa la Hongrie et la basse Allemagne,
> Traversa la Bourgogne et la basse Champagne,
> Et hardi vint servir PHILIPPE DE VALOIS,
> Qui pour lors avait guerre encontre les Anglois.
> Il s'employa si bien au service de France
> Que le roi lui donna des biens à suffisance
> Sur les rives du Loir : puis du tout oubliant
> Frères, père et pays, François se mariant,
> Engendra les aïeux dont est sorti le père
> Par qui premier je vis cette belle lumière.
>
> (*Élégie à P. de Paschal*, 1554.)

2. Devise vraisemblablement chrétienne. Cf. **35**, p. 64, v. 98 ; **3.** 24 février 1525.

une partie de l'eau de senteur : qui fut un présage des bonnes odeurs dont il devait remplir toute la France de ses écrits. »

L'enfant. — Ronsard ne reste que six mois au collège de Navarre, à Paris (1533); son oncle Jean, vicaire général du Mans, lui lègue en mourant sa bibliothèque (1535).

Pendant que Louis de Ronsard, « maître d'hôtel » des fils du roi, les accompagne à Madrid lors de leur envoi comme otages à la place de François Ier, l'enfant commence à entendre dans la forêt environnante l'appel des Muses :

> Je n'avais pas douze ans qu'au profond des vallées,
> Dans les hautes forêts des hommes reculées,
> Dans les antres secrets de frayeur tout couverts,
> Sans avoir soin de rien je composais des vers :
> Écho me répondait; et les simples Dryades,
> Faunes, Satyres, Pans, Napées, Oréades,
> Egipans qui portaient des cornes sur le front
> Et qui, ballant, sautaient comme les chèvres font,
> Et le gentil troupeau des fantastiques fées
> Autour de moi dansaient à cottes agrafées
> (Même élégie.)

Le page voyageur. — En 1536, Ronsard est donné comme page au dauphin François, qu'il voit aussitôt mourir à Tournon; il passe au prince Charles, duc d'Orléans, autre fils de France, qui le cède, en 1537, à sa sœur Madeleine, mariée à Jacques V, roi d'Écosse; jusqu'en 1538 il fait deux séjours en Écosse. De retour en France, il est mis « hors de page »; il entrera bientôt à « l'Écurie », sorte d' « école des cadets » et deviendra écuyer du dauphin Henri (le futur Henri II). En mai-août 1540, il suit en Allemagne l'humaniste Lazare de Baïf, son cousin, envoyé par le roi pour entamer à Haguenau des pourparlers avec les princes protestants allemands.

Le cadet tonsuré. — Au retour, il se ressent d'une « otite chronique d'origine arthritique » qui le rend à demi-sourd pour la vie, et le force à renoncer à la carrière des armes ou de la diplomatie. Il entend, revenu dans le Vendômois, un nouvel appel des Muses (*33*)[1]. En mars 1543, après les obsèques du capitaine Du Bellay, son père le fait tonsurer par l'évêque du Mans, René Du Bellay, ce qui, sans le faire « d'Église », lui permettait de prétendre à des « bénéfices »; le secrétaire de l'évêque, Jacques Peletier, à qui il soumet ses premières productions, encourage ses ambitions poétiques; son père, qui s'opposait à sa vocation, meurt en juin 1544, suivi bientôt par sa mère dans la tombe de l'église de Couture, où gît le chevalier d'Agnadel, mains jointes, avec casque à panache et cotte de mailles :

> Je fus souventes fois retancé de mon père
> Voyant que j'aimais trop les deux filles d'Homère.
> Et me disait ainsi : « Pauvre sot, tu t'amuses

---

1. Ces chiffres *en caractères gras* renvoient aux pièces de ce recueil.

> A courtiser en vain Apollon et les Muses :
> Que te saurait donner ce beau chantre Apollon,
> Qu'une lyre, un archet, une corde, un fredon ?... »
> Pour menace ou prière ou courtoise requête
> Que mon père me fit, il ne sut de ma tête
> Oter la poésie, et plus il me tançait,
> Plus à faire des vers la fureur me poussait.
>
> (*Élégie à Pierre Lescot*, 1560.)

Ronsard à vingt ans. — C'est un jeune homme accompli, un parfait cavalier selon l'idéal tracé par Balthazar Castiglione dans son *Homme de cour ;* il a déjà l'expérience de la vie et des hommes. Mais voué à l'étude par sa vocation plus encore que par sa santé débile et sa fâcheuse infirmité, pourvu du petit héritage des fils puînés, il va s'abandonner à sa « fureur » et s'acharner à conquérir le « vert laurier ».

BIBLIOGRAPHIE SOMMAIRE

Henri CHAMARD, *Histoire de la Pléiade* (Paris, Didier, 1939-1940).

Paul LAUMONIER, *Ronsard, poète lyrique* (Paris, Hachette, 1909 ; 3e édition, 1931).

Gustave COHEN, *Ronsard, sa vie et son œuvre* (Paris, Boivin, 1924 ; nouvelle édition, 1932).

Pierre CHAMPION, *Ronsard et son temps* (Paris, Champion, 1925).

Marcel RAYMOND, *Influence de Ronsard sur la poésie française du XVIe siècle* (Paris, Champion, 1927).

Joseph VIANEY, *les Odes de Ronsard* (Paris, Malfère, 1932).

PREMIÈRE PARTIE

LA CONQUÊTE
DU « VERT LAURIER »
(1545-1553)

Je pillai Thèbe[1] et saccageai la Pouille[2]
T'enrichissant de leur belle dépouille.
(Ode à sa lyre, 1550.)

Ce qui se passait de 1545 à 1553. — En politique. *Traité de Crépy (1546).* — *Mort de Henri VIII, de François Ier; avènement de Henri II (1547).* — *Rachat de Boulogne à l'Angleterre (1550).* — *Guerre contre Charles Quint : occupation des Trois-Évêchés, défense de Metz; Ambroise Paré dans les hôpitaux de la ville (1552).*

Dans les arts plastiques. En Italie : *Michel-Ange achève le palais Farnèse (1547), installe son Moïse sur le tombeau de Jules II (1550); Palladio à Vicence; le Tintoret :* le Miracle de saint Marc.

En France : *Ligier Richier :* tombeau de René de Châlons *(1547); Philibert Delorme :* tombeau de François Ier *(1549)* [*avec Pierre Bontemps*], château d'Anet; *Jean Cousin :* Eva Prima Pandora *(1549); Pierre Lescot :* le Louvre; *Jean Goujon :* Tribune des Cariatides; Fontaine des Innocents; *la Diane d'Anet.*

En musique. *Chœurs à quatre parties pour les vers de Ronsard (1552) : de Pierre Certon, pour le sonnet 7; de Clément Jannequin, pour les sonnets 9 et 12, 14; de Claude Goudimel pour l'Ode à M. de l'Hôpital (16)[3].*

En littérature. *Rabelais :* Tiers Livre *(1546);* Quart Livre *(1552). Amyot : traduction de* Théagène et Chariclée, *roman grec (1547). Thomas Sibilet :* Art poétique *(1548). Interdiction des mystères par le parlement (1548). Théodore de Bèze :* Abraham sacrifiant, *tragédie biblique, Lausanne (1550). Ramus au Collège de France.*

Jacques Peletier du Mans : Art poétique d'Horace *(1545). Joachim Du Bellay :* Défense et illustration de la langue française *(1549);* Olive *(1549); Pontus de Tyard :* Erreurs amoureuses *(1549); P. de Ronsard : les quatre premiers livres des* Odes *(1550); Dorat : Odes pindariques en latin; les* Amours *de P. de Ronsard,*

---

1. Patrie de Pindare. Cf. 2; **2.** L'Apulie, patrie d'Horace. Cf. 2; **3.** Voir H. Expert, *la Fleur des musiciens de P. de Ronsard.* Cité des livres (1923).

et le cinquième livre des Odes *(1552); Jodelle :* Eugène, *comédie;* Cléopâtre, *tragédie (carnaval 1552); Ronsard : seconde édition des* Amours, *avec le commentaire du professeur Marc-Antoine de Muret (1553). Joachim Du Bellay part pour Rome (1553).*

Rabelais curé de Saint-Martin à Meudon (1550); Ronsard, curé de Mareuil-lès-Meaux (1552).

Ronsard de 1545 à 1553. — C'est la période *héroïque* de la carrière de Ronsard.

1° *La* « *Brigade* ». Venu à Paris, Ronsard suit avec le jeune Jean-Antoine de Baïf les cours de l'excellent helléniste Dorat, un Limousin (cf. **36**), chez Lazare de Baïf, humaniste lui-même, rue des Fossés-Saint-Victor (aujourd'hui rue du Cardinal-Lemoine); la tradition veut que vers 1546 Ronsard ait rencontré dans une hôtellerie, sur la route de Poitiers, Joachim Du Bellay et l'ait décidé à devenir son condisciple; une troupe joyeuse et studieuse d'étudiants suivit Dorat au collège Coqueret (rue Chartière, derrière l'actuel lycée Louis-le-Grand), quand il en fut nommé principal, à la mort de Lazare de Baïf. Pour Ronsard et ses amis, ce furent des années d'acharné labeur, tant diurne que nocturne, coupé d'accès de folle gaieté, comme le « folastrissime voyage d'Hercueil » (1549); ils se livrèrent surtout, en commun, à un dépouillement méthodique de la littérature grecque. L'apparition, en 1548, d'un *Art poétique* signé par un poète de l'école marotique qui sentait vaguement le besoin d'une renaissance lyrique, Thomas Sibilet, décida Joachim Du Bellay, porte-parole de la « Brigade », à publier en hâte le manifeste éloquent et touffu qu'est la *Défense et illustration de la langue française* (avril 1549); les idées de Jacques Peletier du Mans y étaient reprises, élargies avec une fougue toute juvénile : c'était en même temps un acte de foi dans la vertu de la langue nationale, une déclaration de guerre aux « soldats de l'ignorance », aux écrivains restés fidèles aux genres et à l'inspiration du Moyen Age, un programme de renaissance par une imitation sans réserve de l'Antiquité, enfin saisie dans sa source. Le tendre Joachim éditait au même moment son *Olive*.

2° Les *Odes* de Ronsard, en 1550, augmentées d'un cinquième livre en 1552, étaient l'œuvre attendue, d'une nouveauté agressive, capable de scandaliser la vieille génération et de ravir la jeunesse impatiente; elle faisait de l'auteur un chef d'école et le régénérateur du lyrisme; il avait voulu, disait la hautaine préface, rompre avec la « monstrueuse erreur » du passé et prendre « style à part, sens à part, œuvre à part ». S'il n'était pas exact, comme il le prétendait, qu'il eût introduit le mot d'*ode* dans la langue, il créait vraiment le genre en France, en s'inspirant très étroitement des lyriques grecs et latins. Les odes imitées d'Horace ou des poètes de l'Antiquité qui lui ressemblent, par leur enchantement de la nature et leur façon de comprendre la mort et la gloire (**3** à **6**), présentent

le charme d'une Antiquité « naturalisée » française, et même vendômoise, par un artiste sensible et sûr de ses moyens : fille de la Bandusie latine, la nymphe Bellerie est la sœur des déesses de Jean
Goujon. Dans les *odes* à la manière de Pindare, sans doute plus
récentes (*1, 16*), le poète, en bon élève de Dorat, attribuait aux héros
de son temps, rois et princesses, capitaines et poètes, ces louanges
généreuses que le Thébain prodiguait aux athlètes retour d'Olympie ; il y imite studieusement tous les procédés de la poésie chorale
des Grecs : sentences, récits mythiques, images, adjectifs rares,
désordre, et jusqu'à la disposition des strophes en triades (strophes,
antistrophes, épodes) : le décalque est trop strict, l'érudition indis-
crète. Mais on ne saurait nier la hardiesse de ce vol en plein ciel,
la grande richesse verbale qui s'y déploie, le réel instinct de « déco-
rateur » que Ronsard y révèle ; ces odes font encore à l'œuvre du
poète un portique triomphal.

3º Les cent quatre-vingt-trois sonnets des *Amours*, deux ans
après, complétaient l'avènement du jeune « prince des poètes ».
Ils sont consacrés à Cassandre Salviati, fille d'un Florentin, ban-
quier du roi, et d'une Française ; il l'avait rencontrée à la cour, à
Blois, lors d'un bal, vers 1545 ; elle avait épousé, en novembre 1546,
Jean de Peigné, seigneur de Pray, et Ronsard lui avait voué cet
amour courtois que Pétrarque avait eu pour Laure de Noves. Le
pétrarquisme et le sonnet étaient à la mode (Héroët, Scève, Du
Bellay, Pontus de Tyard) ; les sonnets de Ronsard ont les défauts du
genre, une préciosité alambiquée (*10, 14*), aggravée de pédantisme
(*7, 9, 15*). Pourtant, il faisait preuve de supériorité : dans l'expression de l'amour platonique, il apporte une imagination plus
robuste (*10*), une plus ardente passion (*7, 12*) ; d'autre part, il fixe
le genre : obéissant aux exigences de l'adaptation musicale, il ne
garde, comme Marot, pour les rimes des tercets, que deux des
combinaisons admises chez les Italiens, et, en outre, s'astreint à
observer l'alternance des rimes masculines et féminines ; enfin, il
donne des modèles presque parfaits du court poème, animé d'un
mouvement sûr et précis, parcouru d'un souffle qui le dépasse.

4º *Le succès de Ronsard et de la Brigade.* Ce fut comme une
révolution. La promesse de la *Défense* était tenue, Horace, Pindare,
Pétrarque ressuscités, la poésie française élevée à force de volonté
au niveau des Anciens et des Italiens ; Ronsard annonçait déjà une
nouvelle *Iliade*, tandis que Jodelle recréait la tragédie antique et
recevait à Arcueil, au carnaval de 1553, le prix du bouc. La harpe
hébraïque du Marot des *Psaumes* était vaincue par cette lyre
païenne, parée de myrte et de laurier ; la rupture de la Renaissance
et de la Réforme était consommée. En vain, de Suisse, Théodore
de Bèze, qui avait brûlé ses poésies de jeunesse, devenu le bras
droit de Calvin, ironisait (cf. *Jugements*). En vain, un poète de la
cour, vieil ami de Marot, Mellin de Saint-Gelais, lut en ricanant
les *Odes* devant le roi Henri II : la princesse Marguerite et son

chancelier Michel de l'Hôpital (cf. *16*, note 1) assurèrent le
triomphe de leur poète au Louvre. Les lettrés étaient conquis, les
commentateurs s'emparaient des *Odes* et des *Sonnets*, s'efforçant
laborieusement d'en éclaircir les obscurités (cf. *15*, commentaire de
Muret). Rénovant l'alliance antique de la poésie et de la musique,
les meilleurs compositeurs du temps adoucissaient de leur somp-
tueuse polyphonie les aspérités de ces hautains poèmes.

LES IV PREMIERS LIVRES DES ODES

I. — ODE PINDARIQUE[1]
au roi Henri II.

Strophe I.

Comme un[2] qui prend une coupe,
Seul honneur de son trésor,
Et de rang[3] verse à la troupe
Du vin qui rit[4] dedans l'or,
5   Ainsi, versant la rosée
Dont ma langue est arrosée
Sur la race de Valois,
En[5] son doux nectar j'abreuve
Le plus grand Roi qui se treuve[6]
10   Soit en armes ou en lois.

Antistrophe.

Heureux l'honneur que j'embrasse!
Heureux qui se peut vanter
De voir la thébaine Grâce
Qui sa vertu veut chanter!
15   Je viens pour chanter la tienne
Sur la corde dorienne,
Et pour être désormais
Celui qui de tes victoires
Ne souffrira que les gloires
20   En l'oubli tombent jamais.

1. 1550, *Odes*, livre I, ode I (texte de 1555); **2.** Un homme. Cf. le début de la *VIIe Ode olympique* du poète *dorien* (v. 15) Pindare, de *Thèbes* (v. 13), en l'honneur de Diagoras, pugiliste vainqueur aux Jeux (464 avant J.-C.) : « Comme un qui prend, d'un geste généreux, une coupe où bout la rosée de la vigne [...] et portant la santé à la famille alliée, donne au jeune fiancé cette coupe toute d'or, honneur de son trésor, pour rehausser l'éclat de la noce, et honorer son gendre... — Ainsi, versant sur les athlètes vainqueurs le nectar, don des Muses, doux fruit de mon génie, j'en fais l'hommage aux triomphateurs d'Olympie! Bienheureux celui qu'environnent les gloires; de l'un à l'autre passe le regard de la Grâce vivifiante, aux accents mélodieux de la lyre, mêlée aux expressives flûtes... »; **3.** A chacun à son tour; **4.** Image fréquente dans la poésie antique; **5.** De (hellénisme); **6.** Conjugaison normale : je treuve..., nous trouvons.

Épode.

De ce beau trait décoché[1],
Dis, Muse mon espérance,
Quel prince sera touché,
Le tirant[2] parmi[3] la France?
25 Sera[4]-ce pas notre Roi
De qui la divine oreille
Boira[5] la douce merveille
Qui n'obéit qu'à ma loi?

Strophe II.

De Jupiter les antiques[6]
30 Leurs écrits embellissaient;
Par lui leurs chants poétiques
Commençaient, et finissaient,
Réjoui d'entendre bruire
Ses louanges sur la lyre;
35 Mais Henri sera le Dieu
Qui commencera mon mètre[7]
Et que seul j'ai voué mettre
A la fin et au milieu.

Antistrophe.

Le ciel, qui ses lampes darde
40 Sur ce tout qu'il aperçoit,
Rien de si grand ne regarde
Qui vassal des rois ne soit.
D'armes le monde ils étonnent,
Sur le chef de ceux ils tonnent
45 Qui les viennent dépiter;
Leurs mains toute chose atteignent
Et les plus rebelles craignent
Les rois, fils de Jupiter[8].

---

1. Cf. Pindare, *IIe Olympique* : « Allons, mon cœur, que ton arc maintenant vise au but! Qui toucheront les flèches glorieuses, parties de mon esprit? Ce sera... »); 2. Se rapporte à la Muse; 3. Avec un singulier; 4. Ne sera-ce pas; 5. Cf. Horace, *Odes* (II, 13): « La foule boit de l'oreille les récits des combats... »; 6. Les Anciens. Cf. Pindare, *IIe Néméenne :* « Imitons ces aèdes qui [...] aiment en leur prélude à commencer par Jupiter »; 7. Mes vers; 8. Cf. Homère : « Les rois, nourrissons de Zeus ».

Épode.

Mais du nôtre la grandeur
50 Les autres d'autant surpasse
Que d'un rocher la hauteur
Les flancs d'une rive basse.
Puisse-il[1] par tout l'univers
Devant ses ennemis croître,
55 Et pour ma guide[2] apparoître
Toujours au front de mes vers.

---

2. — À SA LYRE[3]

Lyre dorée, où Phébus seulement
Et les neuf Sœurs ont part également,
Le seul confort qui mes tristesses tue,
Que la danse oit[4], et toute s'évertue
5 De t'obéir et mesurer ses pas,
Sous tes fredons accordés par compas[5],
Lorsqu'en sonnant tu marques la cadence
De l'avant-jeu[6], le guide de la danse.

Le feu armé de Jupiter s'éteint
10 Sous ta chanson, si ta chanson l'atteint,
Et au caquet de tes cordes bien jointes
Son aigle dort sur la foudre à trois pointes,
Abaissant l'aile; adonc tu vas charmant
Ses yeux aigus[7], et lui, en les fermant,
15 Son dos hérisse et ses plumes repousse,
Flatté du son de ta corde si douce.

Celui ne vit le cher mignon[8] des Dieux,
A qui déplaît ton chant mélodieux.

---

1. Puisse-t-il; 2. Pour me servir de guide; encore féminin au XVIIᵉ siècle;
3. 1550, *Odes*, livre I [épilogue] (texte de 1584, sauf pour les v. 37 à 40);
4. Verbe *oïr*; 5. En mesure. Cf. 4, v. 7; 6. Prélude. Cf. Pindare, *Iʳᵉ Pytique*,
début : « Lyre d'or, apanage commun d'Apollon et des Muses aux boucles
violettes, à ta voix le pas cadencé des danseurs ouvre la fête; les chanteurs
t'obéissent, quand tes premières vibrations font résonner les préludes, guides
de la danse; tu sais aussi éteindre à la pointe de la foudre le feu éternel... »;
7. Perçants; 8. Attribut.

Heureuse lyre, honneur de mon enfance,
20 Je te sonnai devant tous en la France
De peu à peu : car, quand premièrement
Je te trouvai, tu sonnais durement;
Tu n'avais fût ni cordes qui valussent,
Ni qui répondre aux lois de mon doigt pussent.

25 Moisi du temps, ton bois ne sonnait point;
Mais j'eus pitié de te voir mal en point;
Toi qui jadis des grands rois les viandes[1]
Faisais trouver plus douces et friandes.
Pour te monter de cordes et d'un fût,
30 Voire d'un son qui naturel te fût,
Je pillai Thèbe[2] et saccageai la Pouille[3],
T'enrichissant de leur belle dépouille.

Et lors en France avec toi je chantai,
Et, jeune d'ans, sur le Loir inventai
35 De marier aux cordes les victoires
Et des grands rois les honneurs et les gloires.
Puis, affectant[4] un œuvre plus divin,
Je t'envoyai sous le pouce angevin[5]
Qui depuis moi t'a si bien fredonnée
40 Qu'à lui tout seul la gloire en soit donnée.

Jamais celui que les belles chansons
Paissent[6], ravi de l'accord de tes sons,
Ne se doit voir en estime pour estre[7]
Ou a l'escrime, ou à la lutte adestre[8],
45 Ni marinier fortuneux ne sera,
Ni grand guerrier jamais n'abaissera
Par le harnois l'ambition des princes,
Portant vainqueur la foudre en leurs provinces[9].

Mais ma Gastine[10], et le haut crin des bois
50 Qui vont bornant mon fleuve Vendômois,

---

1. Sens propre : tout ce qui entretient *la vie;* les aliments; 2. C'est-à-dire,
je fis des emprunts à Pindare, poète né à Thèbes; 3. Horace était né en
Apulie; 4. Entreprenant; 5. Ayant entrepris un grand poème épique, *la
Franciade,* Ronsard aurait cédé son instrument lyrique à l'Angevin Du Bellay.
Affirmation peu conforme à la vérité historique. Aussi Ronsard a-t-il modifié,
en 1584, les v. 37 à 40; 6. Nourrissent; 7. Être; 8. Ou *adextre :* adroit;
9. Royaumes; 10. Voir l'*Élégie aux bûcherons;* la Gastine était une forêt du bas
Vendômois, au sud de la Possonnière.

Le Dieu bouquin[1] qui la Neufaune[2] entourne[3],
Et le saint chœur[4] qui en Braye[5] séjourne,
Le feront tel que par tout l'univers
Se connaîtra renommé par ses vers,
55   Tant il aura de grâces en son pouce
Et de fredons fils de sa lyre douce.

Déjà, mon luth, ton loyer[6] tu reçois,
Et jà[7] déjà la race des François
Me veut nombrer entre ceux qu'elle loue,
60   Et pour son chantre heureusement m'avoue.
O Calliope, ô Cléion[8], ô les Sœurs,
Qui de ma Muse animez les douceurs,
Je vous salue et resalue encore,
Par qui[9] mon roi et ses princes j'honore.

65   Par toi je plais, et par toi je suis lu;
C'est toi qui fais que Ronsard soit élu
Harpeur françois, et, quand on le rencontre,
Qu'avec le doigt par la rue on le montre.
Si je plais donc, si je sais contenter,
70   Si mon renom la France veut chanter,
Si de mon front les étoiles je passe,
Certes, mon luth, cela vient de ta grâce[10].

---

1. Le dieu aux pieds de bouc, Faune ou Sylvain; **2.** Vallon dépendant de la Possonnière; **3.** Tourne autour de; **4.** Le chœur des Muses; **5.** Affluent du Loir. Cf. 5, v. 21; **6.** Récompense; **7.** Maintenant *(jam)*; **8.** Clio, muse de l'histoire; **9.** *Vous* par qui; **10.** Les quatre dernières strophes sont imitées de l'*Ode* d'Horace (IV, 3) : *Quem tu Melpomene...* : « S'il est vrai que je plaise, ô Muse, je plais par toi! » Le v. 71 est inspiré aussi d'Horace (*Ode*, I, 1) : « Je toucherai de mon front là-haut les étoiles ».

3. — PREMIÈRE ODE
À LA FONTAINE BELLERIE[1]

O Fontaine Bellerie[2],
Belle fontaine chérie
De nos Nymphes, quand ton eau
Les cache au creux de ta source
5   Fuyantes le satyreau[3]
Qui les pourchasse à la course
Jusqu'au bord de ton ruisseau,

Tu es la Nymphe éternelle
De ma terre paternelle :
10   Pource[4] en ce pré verdelet
Vois ton poète qui t'orne[5]
D'un petit chevreau de lait,
A qui l'une et l'autre corne
Sortent du front nouvelet.

15   L'été je dors ou repose
Sur ton herbe, où je compose[6],
Caché sous tes saules verts,
Je ne sais quoi[7], qui ta gloire
Enverra par l'univers,
20   Commandant à la mémoire
Que tu vives par mes vers.

L'ardeur de la Canicule
Ton vert rivage ne brûle[8],

1. 1550, *Odes*, II, 9 (texte de 1584). Imité d'Horace, *Odes*, III, 13 : « O Fontaine Bandusie (près de Venouse, pays natal d'Horace), toi qui miroites plus que le cristal, toi qui mérites libation de vin doux sans oublier les fleurs, demain je te ferai don d'un chevreau, que son front gonflé par les cornes naissantes destine déjà aux combats, — En vain tes frais ruisselets, il les arrosera de son sang vermeil, l'enfant du lascif troupeau. L'ardeur accablante de la canicule ne te saurait toucher; ta fraîcheur désirable, tu l'offres aux taureaux las du soc et au bétail épars. Tu deviendras (mot à mot : *seras faite*) toi aussi l'une des fontaines célèbres, si je chante (mot à mot : *moi chantant*) l'yeuse plantée sur les rochers creux, d'où tes ondes jasardes sautent en cascade. » Bellerie est une fontaine du domaine de la Possonnière (cf. v. 9), aujourd'hui captée (ferme de la *Belle-Iris*); 2. Texte primitif : « *O déesse Bellerie* »; 3. « Le Faune, amant des Nymphes qui le fuient » (Horace, *Odes*); 4. Élision de *ce; 5.* Il ne s'agit pas d'un sacrifice; 6. Texte primitif : *Sur ton bord je me repose, Et là oisif je compose*; 7. Cf. Properce (annonçant l'*Énéide* de Virgile) : « Il naît *je ne sais quoi* de plus grand que *l'Iliade; 8.* Texte primitif : « *Toi, ni tes rives ne brûle* ».

25
Tellement qu'en toutes parts
Ton ombre est épaisse et drue
Aux pasteurs venant des parcs,
Aux bœufs las de la charrue,
Et au bestial épars.

30
Io[1]! tu seras sans cesse[2]
Des fontaines la princesse,
Moi célébrant[3] le conduit
Du rocher percé, qui darde
Avec un enroué bruit,

35
L'eau de ta source jasarde[4]
Qui trépillante se suit.

---

4. — DEUXIÈME ODE
À LA FONTAINE BELLERIE[5]

Écoute-moi, fontaine vive,
En qui j'ai rebu si souvent,
Couché tout plat dessus ta rive,
Oisif à la fraîcheur du vent[6],

5
Quand l'été ménager moissonne
Le sein de Cérès dévêtu,
Et l'aire par compas[7] résonne
Gémissant sous le blé battu[8].

Ainsi[9] toujours puisses-tu être
10
En religion à tous ceux
Qui te boiront ou feront paître
Tes verts rivages à leurs bœufs[10],

1. Cri de joie usité par les Anciens dans les triomphes et les bacchanales;
2. Texte primitif : « *Tu seras faite sans cesse* » (Cf. l'ode d'Horace); 3. Sur
cette tournure cf. l'ode d'Horace); 4. Qui jase (cf. *babillard*); 5. 1550, *Odes*,
livre III, 6 (texte de 1587); 6. Texte primitif : *Argentine fontaine vive, De
qui le beau cristal courant D'une fuite lente, et tardive, Ressuscite le pré mourant;*
7. En cadence; 8. Texte primitif : « *Dessous l'épi de blé battu* »; 9. Introduit
un vœu, comme *sic* en latin; 10. Texte primitif : *A tout jamais puisses-tu être,
En honneur et religion, Au bœuf et au bouvier champêtre, De ta voisine région.*
1555 : *Ainsi toujours puisses-tu être, En dévote religion...*

Ainsi[1] toujours la lune[2] claire
Voie à minuit, au fond d'un val,
15   Les nymphes près de ton repaire
A mille bonds mener le bal[3],

Comme je désire, fontaine,
De plus ne songer boire en toi[4]
L'été, lorsque la fièvre amène
20   La mort dépite[5] contre moi.

5. — ODE DE L'ÉLECTION DE SON SÉPULCRE[6]

Antres, et vous fontaines
De ces roches hautaines
Dévalants contre-bas
    D'un glissant pas;

5   Et vous forêts, et ondes
Par ces prés vagabondes,
Et vous, rives et bois,
    Oyez ma voix.

Quand le ciel et mon heure[7]
10   Jugeront[8] que je meure,
Ravi du doux séjour
    Du commun jour,

Je veux, j'entends, j'ordonne,
Qu'un sépulcre on me donne,
15   Non près des rois levé,
    Ni d'or gravé,

---

1. Voir p. 21, note 9; **2.** Cf. Horace (*Odes* I, IV, sur le printemps) : « Déjà sous le clair de lune, Vénus conduit ses chœurs, et, jointes aux Nymphes, les Grâces décentes frappent la terre d'un pied alterné »; **3.** Texte primitif : *Et la lune d'un œil prospère Voie les bouquins amenants La Nymphe auprès de ton repaire, Un bal sur l'herbe démenants;* **4.** C'est-à-dire : De même que je désire ne plus rêver que je bois en toi (dans mes songes de fiévreux); **5.** En colère; **6.** 1550, *Odes*, livre IV, 5 (texte primitif); **7.** Terme d'astrologie: l'heure de la mort fixée par le destin; **8.** Décideront.

Mais en cette île verte[1]
Où la course entr'ouverte
Du Loir autour coulant
20   Est accolant'[2],

Là où Braye s'amie
D'une eau non endormie
Murmure à l'environ
    De son giron.

25 Je défends qu'on ne rompe
Le marbre pour la pompe
De vouloir[3] mon tombeau
    Bâtir plus beau.

Mais bien[4] je veux qu'un arbre[5]
30 M'ombrage en lieu[6] d'un marbre,
Arbre qui soit couvert
    Toujours de vert.

De moi puisse la terre
Engendrer un lierre[7]
35 M'embrassant en maint tour
    Tout à l'entour;

Et la vigne[8] tortisse[9]
Mon sépulcre embellisse,
Faisant de toutes parts
40   Un ombre[10] épars.

Là viendront chaque année
A ma fête ordonnée[11],
Avecques leurs troupeaux,
    Les pastoureaux[12];

1. Ilot, au confluent du Loir et de la vieille Braye (v. 21), à Couture;
2. Comprendre : où (à laquelle) la course... est accolant(e); **3.** Dans l'intention
orgueilleuse de; **4.** Bien au contraire; **5.** Cf. Properce, *Élégies* II, 13 : « Que
sur mon étroite tombe on ajoute un laurier dont l'ombre protégera le lieu
de mon bûcher... »; **6.** Au lieu; **7.** Cf. *Anthologie grecque;* épitaphe de
Sophocle : « Doucement sur la tombe de Sophocle, ô lierre, rampe en pous-
sant tes verts rameaux... »; **8.** Cf. *Anthologie grecque;* épitaphe d'Anacréon :
« O vigne [...] qui tresses les spirales de tes vrilles torses, épanouis toi sur le
haut du cippe d'Anacréon... »; **9.** Adjectif : qui se tord; **10.** Masculin;
11. Prescrite; **12.** Correction de 1555, au lieu de : « *Les pastoureaux étants, près
habitants.* » Cf. Virgile, *les Bucoliques* (V et X) et *Anthologie grecque*, épitaphe

45   Puis, ayant fait l'office
De leur beau sacrifice,
Parlants à l'île ainsi,
    Diront ceci :

« Que tu es renommée,
50   D'être tombeau nommée
D'un de qui l'univers
    Ouira[1] les vers,

« Et qui oncque en sa vie
Ne fut brûlé d'envie[2],
55   Mendiant les honneurs
    Des grands seigneurs,

« Ni ne rapprit l'usage
De l'amoureux breuvage,
Ni l'art des anciens
60   Magiciens[3],

« Mais bien à nos campaignes
Fit voir les Sœurs compaignes[4]
Foulantes l'herbe aux sons
    De ses chansons,

65   « Car il sut sur sa lyre
Si bons accords élire
Qu'il orna de ses chants
    Nous et nos champs !

« La douce manne tombe[5]
70   A jamais sur sa tombe,
Et l'humeur[6] que produit
    En mai la nuit !

« Tout à l'entour l'emmure[5]
L'herbe, et l'eau qui murmure,

---

d'un berger par Léonidas de Tarente : « ... Qu'aux premiers jours du printemps,
le villageois, ayant cueilli des fleurs de la prairie en couronne ma tombe, et
que, prenant la mamelle d'une brebis mère, il en fasse jaillir le lait sur le tertre
funéraire... »

    1. *Chante les vers* (1555); **2.** Cf. Virgile, *Géorgiques* (II, 499); **3.** Allusion aux
Bucoliques de Théocrite (II) et de Virgile (VIII) où il est fait allusion à des
opérations magiques; **4.** Les neuf Muses, cf. **32**, v. 9 et 11; **5.** Subjonctif;
6. Désigne en latin toute espèce de liquide; ici, la rosée.

75   L'un[1] toujours verdoyant[2],
                  L'autre ondoyant!

            « Et nous, ayants mémoire
            Du renom de sa gloire,
            Lui ferons, comme à Pan,
80   Honneur chaque an. »

            Ainsi dira la troupe,
            Versant de mainte coupe
            Le sang d'un agnelet,
                  Avec du lait,

85   Dessus moi, qui à l'heure[3]
            Serai par la demeure
            Où les heureux esprits[4]
                  Ont leur pourpris[5].

            La grêle ni la neige[6]
90   N'ont tels lieux pour leur siège,
            Ni la foudre oncques là
                  Ne dévala.

            Mais bien[7] constante y dure
            L'immortelle verdure,
95   Et constant en tout temps
                  Le beau printemps.

            Et Zéphire y haleine
            Les myrtes et la plaine
            Qui porte les couleurs
100   De mille fleurs.

            Le soin qui sollicite[8]
            Les rois ne les incite
            Le monde ruiner[9]
                  Pour dominer;

1. Masculin à valeur de neutre; désigne l'herbe; 2. Correction de 1555 pour : « *L'un d'eux y verdoyant* »; 3. Alors (mêmes mots). [Cf. 6, v. 6]; 4. Les « bienheureux » des Champs Élysées; 5. Enclos (pour - prendre). Cf. Virgile, *l'Énéide*, vi (les Champs Élysées), et surtout Horace, *Odes* (ii, 13); 6. Cf. Homère, *l'Odyssée* (iv, 563) : « Aux Champs Élysées, les dieux t'emmène-ront, là où la plus douce vie est offerte aux hommes, sans neige, sans long hiver, sans pluie; l'Océan, pour les rafraîchir, exhale toujours l'haleine du zéphire »; 7. Bien au contraire; 8. Tourmente; 9. *Monde à ruiner.*

105
    Ains[1] comme frères vivent,
    Et, morts, encore suivent
    Les métiers[2] qu'ils avaient
        Quand ils vivaient.

    Là, là, j'oirai[3] d'Alcée
110
    La lyre courroucée,
    Et Sapho, qui sur tous
        Sonne plus doux.

    Combien ceux qui entendent
    Les odes qu'ils répandent
115
    Se doivent réjouir
        De les ouïr,

    Quand la peine reçue
    Du rocher[4] est déçue
    Sous les accords divers
120
        De leurs beaux vers[5]!

    La seule lyre douce
    L'ennui des cœurs repousse,
    Et va l'esprit flattant
        De l'écoutant.

1. Mais; **2.** Occupations. Cf. Virgile, *l'Énéide* (VI, 651) : « Le plaisir des armes et des chars que vivants ils goûtaient [...] les suit dans leur descente sous la terre... »; **3.** J'entendrai. Cf. Horace, *Odes* (II, 13) : « J'ai été près [...] d'entendre la plainte amoureuse de Sapho sur les cordes éoliennes, et toi, Alcée, qui plus puissamment fais sonner, de ton plectre d'or, les rudes épreuves de la mer, de l'exil, de la guerre! Les ombres les écoutent tous deux [...]. Quoi d'étonnant, quand, stupéfié par ces chants divins, le monstre aux cent têtes (Cerbère) baisse ses noires oreilles [...], quand le père de Pélops (Tantale) est distrait (*decipitur* : mot à mot : est déçu), de ses peines par les sonorités douces des Grecs... »; **4.** Par Sisyphe, condamné à rouler éternellement un rocher; **5.** Correction de 1567 : « *Et quand le vieil Tantal'*, — *N'endure mal* ».

6. — À SA MUSE[1]

Plus dur que fer j'ai fini mon ouvrage
Que l'an, dispost à démener les pas[2],
Que l'eau rongearde ou des frères[3] la rage,
L'injuriant, ne rueront point à bas.

5 Quand ce viendra que le dernier trépas[4]
M'assoupira d'un somme dur, à l'heure[5]
Sous le tombeau tout Ronsard n'ira pas,
Restant de lui la part qui est meilleure[6].

Toujours, toujours, sans que jamais je meure.
10 Je volerai tout vif par l'univers[7],
Éternisant les champs où je demeure,
De mes lauriers et de mon nom[8] couverts,
Pour avoir joint les deux harpeurs divers[9]
Au doux babil de ma lyre d'ivoire,

15 Qui se sont faits Vendômois par mes vers.

Sus donque, Muse, emporte au ciel la gloire
Que j'ai gagnée, annonçant la victoire
Dont à bon droit je me vois jouissant,
Et de ton fils consacre la mémoire,
20 Serrant son front d'un laurier verdissant.

---

1. 1550. Ode finale (texte de 1555). Imité de l'ode finale des trois premiers livres d'Horace : « J'ai fini un monument, plus durable que l'airain (des statues), [...] que ni l'eau *rongearde*, ni l'Aquilon déchaîné ne pourront disjoindre et ruer à bas, ni la suite innombrable des siècles, ni la fuite du temps. Tout entier je ne mourrai pas; une grande part de moi-même évitera la mort. [...] Dans l'avenir ma gloire grandira toujours nouvelle. [...] On dira que moi le premier, j'ai rendu italien le lyrisme de l'Éolie (Alcée et Sapho). Pare-toi, muse Melpomène, d'un juste orgueil, et viens de bon gré ceindre ma chevelure d'un laurier delphique »; **2.** Agile dans sa course; sur *dispost*. Cf. **39**, v. 13; **3.** Castor et Pollux, frères d'Hélène, dangereux pour les matelots; **4.** Voyage, passage; **5.** Alors (cf. **5**, v. 85); **6.** La meilleure; **7.** Horace, *Odes* (II, 20); **8.** Renom; **9.** Pindare et Horace, dont le lyrisme est très *différent*, et qu'imite Ronsard dans ses *Odes*.

LES AMOURS[1]

J'espère et crains, je me tais et supplie,
Or je suis glace, et ores un feu chaud,
J'admire tout, et de rien ne me chaut[3],
Je me délace, et puis je me relie.

5   Rien ne me plaît sinon ce qui m'ennuie,
Je suis vaillant, et le cœur me défaut[4],
J'ai l'espoir bas, j'ai le courage haut,
Je doute[5] Amour, et si[6] je le défie.

Plus je me pique, et plus je suis rétif,
10   J'aime être libre, et veux être captif,
Cent fois je meurs, cent fois je prends naissance.

Un Prométhée[7] en passions je suis;
Et, pour aimer perdant toute puissance,
Ne pouvant rien, je fais ce que je puis[8].

Je veux pousser par l'univers ma peine
Plus tôt qu'un trait ne vole au décocher;
Je veux de miel mes oreilles boucher
Pour n'ouïr plus la voix de ma Sirène[9].

---

1. Octobre 1552; **2.** Cf. Pétrarque, *Sonnet* 125 : « Amour m'éperonne et en
même temps me serre le frein, il me rassure et m'épouvante, il me brûle et
me glace, il me fait bon accueil et me dédaigne, m'appelle et me repousse, me
tient tantôt dans l'espérance, tantôt dans la peine. Tantôt il exalte, tantôt
il abaisse mon courage... »; **3.** Verbe *chaloir*; **4.** Verbe *défaillir*, manquer;
5. Redoute; **6.** Cependant; **7.** Le foie de Prométhée, rongé par un vautour,
renaissait sans cesse; **8.** Correction des quatre derniers vers en 1584 : « *Tout
je désire, et si n'ai qu'une envie — Un Prométhée en passion je suis — J'ose,
je veux, je m'efforce, et ne puis — Tant d'un fil noir la Parque ourdit ma vie* »;
9. Allusion à la fable d'Ulysse qui passant devant les *Sirènes* fit boucher de
cire les oreilles de ses compagnons (*Odyssée*, Chant XII).

5   Je veux muer mes deux yeux en fontaine,
Mon cœur en feu, ma tête en un rocher,
Mes pieds en tronc, pour jamais n'approcher
De sa beauté si fièrement humaine.

10   Je veux changer mes pensers en oiseaux,
Mes doux soupirs en zéphires nouveaux
Qui par le monde éventeront ma plainte.

Je veux du teint de ma pâle couleur
Aux bords du Loir enfanter une fleur
Qui de mon nom et de mon mal soit peinte[1].

— 9 —

« Avant le temps, tes tempes fleuriront[2],
De peu de jours ta fin sera bornée,
Avant ton soir se clora ta journée,
Trahis d'espoir tes pensers périront.

5   « Sans me fléchir tes écrits flétriront[3],
En ton désastre ira[4] ma destinée,
Ta mort sera pour m'amour[5] terminée[6],
De tes soupirs tes neveux[7] se riront.

10   « Tu seras fait d'un vulgaire[8] la fable,
Tu bâtiras sur l'incertain[9] du sable,
Et vainement tu peindras dans les cieux. »

Ainsi disait la Nymphe[10] qui m'affolle,
Lors que le ciel pour sceller sa parole
D'un dextre[11] éclair fut présage à mes yeux.

---

1. Allusion à la fable d'Ajax et à celle de Narcisse. (Cf. *Sonnet* 66.) Il y a aussi allusion aux armes parlantes des Ronsard (tiges de *ronce* fleurie qui *ard* au milieu des flammes), sculptées dans le manoir natal. (Cf. P. Laumonier, *Ronsard et sa province*, p. xi et p. 67); 2. Blanchiront. Cf. Pétrarque, *Sonnet* 155 : « ... L'amour fait semblant de ne pas voir, ou ne voit pas que mes tempes avant le temps fleurissent, ou bien il n'en a cure »; 3. Se flétriront; 4. Aura ru ruine comme effet (latinisme); 5. A cause de *ma* amour, l'amour que tu as *pour moi*. Correction de 1578 : *pour m'aimer* ; 6. Le terme de ta mort sera fixé; 7. Descendants; 8. Adjectifs substantivés selon la recette de la *Défense*. Cf. : *le vague* (des cieux) [16, v. 683]; *le mieux* (13, v. 5); *l'imparfait* (15, v. 2); *le mortel* ; *le creux* (3, v. 4); *l'aigu ; le populaire*, etc.; 9. Cf. Pétrarque, *Sonnet* 157 : « ... Je nage dans une mer qui n'a ni fond ni rivage, je laboure l'eau, je bâtis sur le sable, j'écris sur le vent... »; 10. Cassandre, identifiée avec la Cassandre troyenne, prophétesse de malheur; 11. Un éclair apparu à droite était chez les Romains présage de malheur.

— 10[1] —

Divin Bellay dont les nombreuses[2] lois[3]
Par une ardeur du peuple séparée,
Ont revêtu l'enfant de Cythérée
D'arcs, de flambeaux, de traits et de carquois[4],

5   Si le doux feu dont jeune tu ardois
Enflambe encor ta poitrine sacrée,
Si ton oreille encore se récrée
D'ouïr les plaints[5] des amoureuses voix :

Oi ton Ronsard qui sanglote et lamente[6],
10   Pâle de peur, pendu sur la tourmente[7],
Croisant en vain ses mains devers les cieux,

En frêle nef, sans mât, voile, ni rame[8],
Et loin du havre où pour[9] astre ma Dame
Me conduisait du phare de ses yeux[10].

1. Texte de 1584. Réponse à des sonnets de J. Du Bellay (*Olive* 60 et 106)

60	106
Divin Ronsard qui de l'arc à sept [cordes (a)	O noble esprit des Grâces allié,
Tiras premier au but de la mémoire	Que ta vertu, la muse et la nature
Les traits ailés de la françoise gloire,	Ont par destin et non par aventure
Que sur ton luth hautement tu accordes ;	Avec le mien étroitement lié !
Fameux harpeur et prince de nos odes	O de mon cœur la seconde moitié !
Laisse ton Loir hautain de ta victoire,	Si de ton feu quelque scintille (a) dure,
Et viens sonner au rivage de Loire	Soulage un peu le tourment que
De tes chansons les plus nouvelles [modes.	[j'endure,
	Me consolant d'excuse ou de pitié.
Enfonce l'arc du vieil Thébain archer (b)	
Où nul que toi ne sut onc' encocher	
Des doctes sœurs les sagettes (c) [divines,	Inspire-moi les tant douces fureurs
	Dont tu chantas cette fière beauté,
Porte pour moi parmi le ciel des Gaules	Qui t'aveuglas à semblables erreurs ;
Le saint honneur des nymphes ange- [vines,	
Trop pesant faix pour mes faibles [épaules.	Ainsi d'amour le feu puisse descendre
	Pour amollir cette humble cruauté,
	En l'estomac de ta froide Cassandre.

a) la lyre ; *b)* Pindare ; *c)* flèches. Cf. **1**, v. 21. | *a)* étincelle.

2. Bien cadencées, harmonieuses ; **3.** Vers (le grec *nomos* a les deux sens de vers et de loi) ; **4.** Allusion aux sonnets amoureux d'*Olive ;* **5.** Forme masculine de *plaintes ;* **6.** Se lamente ; **7.** Texte primitif : « *Pâle, agité des flots de la tourmente* » ; **8.** Texte primitif : « *Et sans voile et sans rame.* » Correction de 1578 : « *Sans voile ni sans rame* » ; **9.** En guise de ; **10.** Les deux tercets sont inspirés de Pétrarque, *Sextine IV* (embarqué sur le navire fragile d'Amour, il prie Dieu de l'amener à bon port). Elle finit ainsi : « Maître de ma mort et de ma vie, avant que le navire n'aille se briser contre les écueils, dirige à bon port ma voile éperdue ».

— II —

Dedans un pré[1] je vis une Naïade
Qui comme fleur marchait dessus les fleurs,
Et mignottait un bouquet de couleurs,
Échevelée, en simple vertugade[2].

5 Dès ce jour-là ma raison fut malade,
Mon front pensif, mes yeux chargés de pleurs,
Moi triste et lent : tel amas de douleurs
En ma franchise[3] imprima son œillade[4].

Là je sentis dedans mes yeux couler
10 Un doux venin, subtil à[5] se mêler
Au fond de l'âme, et, depuis cet outrage,

Comme un beau lis, au mois de juin, blessé
D'un rais[6] trop chaud, languit à chef baissé,
Je me consume au plus vert de mon âge.

— 12[7] —

Ciel, air et vents, plains[8] et monts découverts,
Tertres fourchus, et forêts verdoyantes,
Rivages tors, et sources ondoyantes,
Taillis rasés, et vous, bocages verts ;

5 Antres moussus à demi-front ouverts,
Prés, boutons, fleurs et herbes rousoyantes[9],

---

1. Allusion au nom pris par Cassandre Salviati quand elle eut épousé Jehan Peigné, seigneur *de Pray ;* 2. Jupe maintenue rigide par un corps d'*osier* (espagnol : *vertugado*) et portée sous la robe ; 3. Liberté ; 4. Inversion ; 5. De nature, par sa subtilité, à... ; 6. Rayon ; 7. Imité d'un sonnet d'Astemio Bevilacqua : « Herbes heureuses, heureuses prairies qui servez souvent de siège à mon auguste Abscentia [...], fleurs éclatantes et variées [...], limpides fontaines et vous, heureux rivages qui écoutez parfois les accents de celle qui a reçu tous les dons du ciel, arbrisseaux qui donnez une ombre fraîche, puisqu'elle ne veut pas écouter mes lamentations, dites-les lui pour moi : Amour veut qu'on le croie » ; 8. Forme masculine de *plaine,* v. 12 ; 9. Couvertes de *rousée* (rosée).

Coteaux vineux[1] et plages[2] blondoyantes,
Gastine, Loir, et vous, mes tristes vers[3],

10   Puis qu'au partir[4], rongé de soin[5] et d'ire[6],
A ce bel œil l'adieu je n'ai su dire,
Qui près et loin me détient en émoi,

Je vous suppli[7], ciel, air, vents, monts et plaines,
Taillis, forêts, rivages et fontaines,
Antres, prés, fleurs, dites-le lui pour moi.

— 13 —

Franc de raison, esclave de fureur,
Je vais chassant une fère[8] sauvage,
Or sur un mont, or le long d'un rivage,
Or dans le bois de jeunesse et d'erreur.

5   J'ai pour ma laisse un long trait de malheur,
J'ai pour limier un trop ardent courage,
J'ai pour mes chiens l'ardeur et le jeune âge,
J'ai pour piqueurs l'espoir et la douleur.

Mais eux, voyant que, plus elle est chassée,
10   Loin, loin devant, plus s'enfuit élancée,
Tournant sur moi leur rigoureux effort,

Comme mâtins affamés de repaître,
A longs morceaux se paissent de leur maître
Et sans merci me traînent à la mort[9].

----

1. Couverts de vignobles; **2.** « Le mot de *plages* s'est dit, par quelques auteurs, de *plates campagnes* » (Furetière, xviie s.); **3.** Corrections, en 1578 : « *Et vous, rochers, écoliers de mes vers* »; en 1587 : « *Et vous, rochers, les hôtes de mes vers* »; **4.** Au départ; **5.** Souci; **6.** Colère; **7.** Orthographe normale; **8.** Bête; **9.** L'allégorie développée dans ce sonnet est tout à fait dans le goût du *Roman de la Rose* et de Pétrarque. Dans les tercets, allusion à la légende d'Actéon.

— 14[1] —

Voici le bois, que ma sainte Angelette
Sur le printemps anime de son chant;
Voici les fleurs que son pied va marchant[2],
Lors que pensive elle s'ébat seulette;

5 Io[3], voici la prée[4] verdelette
Qui prend vigueur de sa main la touchant,
Quand pas à pas pillarde va cherchant
Le bel émail de l'herbe nouvelette.

Ici chanter, là pleurer je la vi[5],
10 Ici sourire, et là je fus ravi
De ses beaux yeux par lesquels je dévie[6].

Ici s'asseoir, là je la vi[5] danser :
Sur le métier d'un si vague penser
Amour ourdit les trames de ma vie.

---

1. Imité de plusieurs sonnets de Pétrarque, *Sonnet* 110 : « Fleurs, herbes
fortunées que ma Dame en sa rêverie a coutume de fouler, plage qui entends
ses douces paroles et qui gardes parfois la marque de son pied... » *Sonnet* 113 :
« Quand son pied candide meut doucement ses pas dans l'herbe fraîche, il
semble qu'une vertu naisse de ses tendres plantes, et entrouvre et renouvelle
les fleurs autour d'elle... » *Sonnet* 85 : « Ici elle chanta doucement et là elle
s'assit; ici elle se retourna vers moi et là ralentit son pas; là ses beaux yeux
m'ont percé le cœur. Là elle dit une parole, là elle sourit, là elle changea de
visage. C'est dans ces pensées, hélas! que nuit et jour me tient Amour, notre
maître »; **2.** Ancienne forme pour *marquant*. Correction de 1584 : « *Où son
pied va marchant* »; **3.** Exclamation de triomphe chez les Anciens. Cf. **3**, v. 29;
4. Forme féminine de *pré*. Cf. p. 31, note 1; **5.** Orthographe normale; **6.** Je
suis écarté de ma route.

— 15 —

Je veux brûler[1], pour m'envoler aux Cieux,
Tout l'imparfait de cette[2] écorce humaine,
M'éternisant comme le fils d'Alcmène[3],
Qui tout en feu s'assit entre les Dieux.

5   Jà mon esprit, chatouillé[4] de son mieux,
Dedans ma chair, rebelle[5], se promène[6],
Et jà le bois de sa victime amène[7]
Pour s'enflammer[8] aux rayons de tes yeux.

O saint brasier! ô feu chastement beau!
10   Las! brûle-moi d'un si chaste flambeau[9],
Qu'abandonnant ma dépouille connue,

Net, libre et nu, je vole d'un plein saut
Jusques au Ciel[10], pour adorer là-haut
L'autre beauté dont la tienne est venue[11].

1. « Il dit qu'il est content de se brûler aux rayons qui sortent des yeux de sa dame : afin que son esprit séparé de son corps s'envole au ciel, pour contempler et adorer la beauté divine, de laquelle est venue celle qui reluit en sa dame » (Muret); 2. *Mon* (correction de 1578); 3. « Comme Hercule qui se brûla sur une montagne de Thessalie, nommée Oete [Oeta]. Voir le neuvième [livre] des *Métamorphoses* d'Ovide, et la dernière tragédie de Sénèque » (Muret). Il faut ajouter qu'Hercule reçut ensuite les honneurs de l'Olympe et l'immortalité; 4. « Point [*piqué*, verbe *poindre*] d'un désir du bien qu'il espère avoir après qu'il sera séparé de son corps » (Muret). *Chatouillé* appartient, encore au XVIIe siècle, au langage noble; 5. « Se fâchant d'y demeurer » (Muret); 6. « Comme désireux d'en sortir » (Muret); 7. Amène le bois destiné à sa victime (la chair mortelle); 8. Correction de 1578 : *s'immoler*; 9. Correction de 1578 : « *Enflamme-moi d'un si divin flambeau* »; 10. Correction de 1578 : *outre le Ciel*; 11. Idée platonicienne : la beauté terrestre et particulière (Cassandre) est une émanation de la Beauté divine et idéale, que seul le sacrifice des contingences corporelles permet de contempler dans sa plénitude. Comparer Du Bellay, *Olive* (113) :

Là est le bien que tout esprit désire   Là, ô mon âme, au plus haut ciel guidée
Là le repos où tout le monde aspire,   Tu y pourras reconnaître l'Idée
Là est l'amour, là le plaisir encore.   De la beauté qu'en ce monde j'adore.

LE CINQUIÈME LIVRE DES ODES

16. — ODE PINDARIQUE
à Michel de l'Hôpital[1].

— FRAGMENT —

[Les Muses, filles de Jupiter et de Mémoire, après avoir inspiré
la poésie des anciens, ont été chassées de la Terre par la Barbarie ;
pour y revenir, de l'Olympe où elles se sont réfugiées, il leur faut
un guide — Michel de l'Hôpital — dont les Parques vont filer
la précieuse vie.]

Strophe XIX.

613   Auprès du trône de leur père,
Tout à l'entour se vont asseoir,
615   Chantant avec Phébus leur frère
Du grand Jupiter le pouvoir.
Les Dieux ne faisaient rien sans elles,
Ou[2] soit qu'ils voulussent aller
A quelques noces solennelles,
620   Ou[2] soit qu'ils voulussent baller.
Mais sitôt qu'arriva le terme
Qui les hâtait de retourner
Au monde, pour y séjourner,
D'un pas éternellement ferme,

Antistrophe.

625   Adonc Jupiter se dévale
De son trône, et grave conduit
Gravement ses pas en la salle
Des Parques, filles de la Nuit :
Leur roquet[3] pendait jusqu'aux hanches,

---

1. 1552 (texte de 1584). La plus admirée, la dernière publiée, la plus longue
des pièces pindariques de Ronsard (816 vers en vingt-quatre *triades ;* la plus
longue ode de Pindare n'a que 535 vers) ; elle a pour objet de célébrer la
Renaissance de la poésie antique après les siècles de l' « Ignorance » (v. 680),
et de glorifier en L'Hôpital, chancelier de la princesse Marguerite, le Poète
et le Juste, qui a su défendre, devant le roi et la cour, les odes de Ronsard
contre les ironies des vieux écrivains. Cf. Notice, p. 14 ; **2.** Renforce *soit ;*
3. Rochet, petit manteau.

630   Et un dodonien[1] feuillard[2]
        Faisait ombrage aux tresses blanches
        De leur chef tristement vieillard[3];
        Elles, ceintes sous les mamelles,
        Filaient, assises en un rond
635   Sur trois carreaux[4], ayant le front
        Renfrogné de grosses prunelles.

Épode.

        Leur peson[5] se hérissait
        D'un fer étoilé de rouille;
        Au flanc pendait la quenouille
640   Qui d'airain se roidissait.
        Au milieu d'elles était
        Un coffre où le Temps mettait
        Les fuseaux[6] de leurs journées[7],
        De courts, de grands, d'allongés,
645   De gros et de bien dougés[8],
        Comme il plaît aux Destinées.

Strophe XX.

        Ces trois sœurs à l'œuvre ententives[9]
        Marmottaient un charme[10] fatal,
        Tortillants les filasses[11] vives
650   Du corps futur de l'Hôpital.
        Clothon[12] qui le filet[13] replie[14]
        Ces deux vers mâcha[15] par neuf fois :
        Je retords la plus belle vie

---

1. Mot forgé : emprunté aux chênes prophétiques de la forêt de Dodone;
2. Mot archaïque : branches d'arbre gardant leur feuillage; **3.** Adjectif;
4. Coussins carrés; **5.** Terme technique : pièce de métal adaptée au fuseau
qui permettait de le tourner plus facilement, en lui donnant du *poids* et
en arrêtant la descente du fil; **6.** Instrument, ordinairement en bois tourné,
autour duquel l'ouvrière enroule le fil; **7.** C'est-à-dire ceux qu'elles ont à
remplir, et dont la proportion varie avec la destinée de chacun; **8.** Menus,
terme du dialecte d'Anjou et de Vendômois, propre aux filandières. (Cf. **39**,
v. 22.) Un *dougé* désigne encore un ciseau plat et mince, servant à fendre les
ardoises. « Mes enfants [disait Ronsard à ses disciples, d'après A. d'Aubigné
(*Tragiques;* Aux lecteurs)], défendez votre mère [la langue nationale] contre
ceux qui veulent faire servante une damoiselle de bonne maison. Il y a des
vocables qui sont français naturels, qui sentent le vieux, mais le libre français,
comme *dougé,... bauger, bouge...* Je vous recommande par testament que vous
ne laissiez point perdre ces vieux termes... »; **9.** Attentives; **10.** Incantation;
11. Terme technique : filaments bruts de chanvre ou de lin qui sont mis sur
la quenouille. (Cf. **39**, v. 27); **12.** Clotho (la fileuse), une des trois Parques,
avec Lachésis et Atropos; **13.** Fil; **14.** Retord; **15.** Répéta avec une application
particulière de la *mâchoire.*

Qu'onques retordirent mes doigts.
655 Mais sitôt qu'elle fut tirée
A l'entour du fuseau humain,
Le Destin la mit dans la main
Du fils de Saturne et de Rhée[1].

Antistrophe.

Lui, tout gaillard, prit une masse
660 De terre, et devant tous les Dieux
Il feignit[2] dedans une face,
Un corps, deux jambes et deux yeux,
Deux bras, deux flancs, une poitrine,
Et achevant de l'imprimer[3]
665 Souffla de sa bouche divine
Son esprit pour mieux l'animer;
Lui donnant encor davantage
Cent mille vertus, appela
Ses neuf filles qui çà et là
670 Entournaient[4] la nouvelle image :

Épode.

« — Ores[5] vous ne craindrez pas,
Sûres sous telle conduite,
De reprendre encor la fuite
Pour redescendre là-bas[6] :
675 Suivez donc ce guide ici[7],
C'est celui, filles, aussi,
De qui la droite assurance
Franches de peur vous fera,
Et celui qui défera
680 Les soldars[8] de l'Ignorance[9]. »

Strophe XXI.

Lors à terre vola le guide,
Et elles d'ordre[10] le suivant,

---

1. Jupiter (Zeus), fils de Saturne (Chronos) et de Rhée, identifiée avec la Terre; **2.** Modela; **3.** Marquer de son « empreinte »; **4.** Entournaient; **5.** Désormais; **6.** Sur terre; allusion au premier séjour des Muses sur la terre (pendant l'Antiquité), suivi de leur exil (pendant le Moyen Age); **7.** Ce guide-ci [ces roses ici = ces roses-ci]; **8.** Soudarts, soldats, généralement avec acception péjorative; **9.** Personnifie les forces obscures qui s'opposent à la Renaissance des lettres, en particulier les défenseurs de la vieille poésie et les adversaires de Ronsard. Cf. Notice; **10.** En ordre.

Fendaient le grand vague[1] liquide[2],
684 Hautes sur les ailes du vent.
[. . . . .]

[L'ode se termine par l'éloge du chancelier et de la princesse
Marguerite.]

Strophe XXIII.

750 C'est lui dont les grâces infuses
Ont ramené par l'univers
Le chœur des Piérides Muses,
Faites illustres par ses vers[3];
Par lui leurs honneurs s'embellissent,
755 Ou soit d'écrits contraints par pieds[4],
Ou soit par des nombres qui glissent
De pas tous[5] francs et déliés[6];
C'est lui qui honore et qui prise
Ceux qui font l'amour aux neuf Sœurs,
760 Et qui estime leurs douceurs,
Et qui anime leur emprise[7].

Antistrophe.

C'est lui, Chanson, que tu révères
Comme l'honneur de notre ciel,
C'est celui qui aux lois sévères
765 A fait goûter l'attique miel.
C'est lui que la sainte balance
Connaît, et qui, ni bas ni haut,
Juste, son poids douteux n'élance,
La tenant droite comme il faut.
770 C'est lui dont l'œil non variable
Note les méchants et les bons,
Et qui contre le heurt des dons
Oppose son cœur imployable.
[. . . . .]

1. (Cf. **9**, note 8). Il s'agit des espaces célestes; **2.** Limpide (latinisme);
3. Allusion aux poésies latines du chancelier; **4.** C'est-à-dire en vers; **5.** Tout.
Cf. **35**, v. 102; **6.** C'est-à-dire en prose; **7.** Entreprise.

LE CHANCELIER MICHEL DE L'HÔPITAL
École française du XVIᵉ siècle. Musée de Chantilly.

DEUXIÈME PARTIE

L'ÉPANOUISSEMENT
(1553-1560)

> ... Mais ce n'est pas le tout que d'ouvrir le bec grand,
> Il faut garder le ton dont la grâce dépend
> Ni trop haut, ni trop bas, suivant notre nature
> Qui ne trompe jamais en rien la créature.
>
> (*À Christophe de Choiseul,* 1556.)

Ce qui se passait de 1553 à 1560. — EN POLITIQUE. *Abdications successives de Charles Quint; trêve de Vauxcelles (1556). Guerre contre Philippe II, désastre de Saint-Quentin (1557). Prise de Calais par François de Guise; Élisabeth, reine d'Angleterre (1558). Paix du Cateau-Cambrésis, mort de Henri II (1559). François II roi, Marie Stuart, reine de France (1559-1560).*

DANS LES ARTS. *Château de Heidelberg (1556). Pierre Bontemps : cheminée de la chambre du roi, à Fontainebleau; Pierre Lescot : le Louvre; Philibert Delorme : Chenonceaux; Jean Bullant : Écouen. Bernard Palissy : Figulines; Léonard Limosin : le Festin des dieux, émail (1555); armure de Henri II.*

EN MUSIQUE. *Alfonso della Viola : le* Sacrificio, *première pastorale en musique (1554); Palestrina : Messe du pape Marcel (avril 1555); Costeley : chœur à quatre parties pour l'Ode à Cassandre (17).*

EN LITTÉRATURE. *Mort de Rabelais (vers 1553); Marguerite de Navarre : l'Heptaméron, posthume (1559); Bonaventure Des Périers : Récréations et joyeux devis, posthume (1558); Amyot : Vies parallèles de Plutarque (1559), Daphnis et Chloé (1559); Louise Labé : Poésies (1555).*

DANS LA TRAGÉDIE. *Jean de la Péruse : Médée (1553); Jodelle : Didon se sacrifiant (1555); Jacques Grévin : la Mort de César (1560).*

Henri Estienne : édition d'Anacréon avec traduction latine (1554); Pontus de Tyard : les Erreurs amoureuses, II et III (1555); Baïf : les Amours de Francine (1555); Belleau : Anacréon, en vers français (1556); Olivier de Magny : les Soupirs (1557); Joachim Du Bellay : les Antiquités de Rome, les Regrets (1558); Dorat professeur au Collège de France (1559); mort de Joachim Du Bellay (1560).

Ronsard de 1553 à 1560. — *Les Folastreries* (1533), *le Bocage,* les *Mélanges* (1554); Ronsard, curé de Challes (près du Mans, 1554); 3ᵉ édition des *Odes* (1555, janvier); la *Continuation des*

Amours (1555, août); les *Hymnes* (1555); Ronsard, curé-baron d'Availlé (1555); la *Nouvelle Continuation des Amours* (1556); le second livre des *Hymnes* (1556); Ronsard conseiller et aumônier ordinaire du roi (1559); édition collective des *Œuvres de P. de Ronsard, gentilhomme vendômois*, 4 tomes en 3 volumes (1560); Ronsard chanoine de la cathédrale du Mans, à la mort de Joachim (1560).

1° *La Pléiade*. Cette période de la carrière de Ronsard voit les meilleurs de la turbulente *Brigade* établir solidement leur notoriété dans le genre tragique, dans le lyrisme surtout qui rayonne autour du jeune maître. Une seule fois, en 1556, apparaît sous sa plume, pour désigner le groupe qu'il patronne, le terme superbe de *Pléiade*, en imitation d'un groupe de poètes grecs alexandrins, ainsi nommés par analogie avec cette constellation de sept étoiles; la Pléiade française compte alors autour de Ronsard : Du Bellay, Pontus de Tyard, Baïf, Peletier, Jodelle, Belleau; la composition en a quelque peu varié suivant l'humeur du chef. Les réformés, en reprenant par dérision cette métaphore astronomique, en firent bientôt la fortune.

2° *La transformation de Ronsard*. Plusieurs causes expliquent la transformation qui se manifesta alors si clairement dans la poésie de Ronsard. Il semble d'abord que ses propres amis et protecteurs, comme Michel de l'Hôpital, lui aient conseillé de baisser un peu le ton, et que le commentaire de Muret, par ailleurs si flatteur, lui ait montré les inconvénients d'une intempestive érudition. — Ensuite, l'édition, en 1554, du pseudo-*Anacréon* par Henri Estienne lui rappela l'existence d'une Antiquité plus abordable que celle de Pindare; il revient au lyrisme gracieux. — Une jeune « paysante » de Bourgueil en Anjou, fille d'aubergiste, Marie Dupin (?), « le pin de Bourgueil », dont il s'éprend vers 1555, fut, d'autre part, l'objet d'une affection, sinon plus sincère, du moins plus simple d'expression que celle qu'exigeait l'altière Salviati. — Enfin, le développement normal d'un riche tempérament de poète lui imposait le rejet des entraves livresques.

3° *L'épanouissement de Ronsard*. De là, dès 1553, des odes d'un tour plus facile; des sonnets, surtout dédiés à Marie, où respire un frais sentiment, où le large alexandrin remplace le décasyllabe. Les strophes mêmes sont un moule trop étroit pour une inspiration qui, plus volontiers, aime l'abandon : il lui faut, pour qu'elle coule à son aise, des formes plus fluides : l'hymne, l'épître, l'élégie. Il imite les anciens avec plus de discernement, s'adressant de préférence à ceux qui correspondent à son génie dionysiaque et s'en inspirant avec une heureuse liberté. En veine de nouveau, il pénètre dans des chemins non frayés, soit qu'il peigne de belles légendes de son invention (*36*), soit qu'il médite en « vers héroïques » sur les problèmes de la philosophie (*35*), soit qu'il confie à ses vers ses intimes mélancolies (*38*, *41*). Le poète, en 1550, avait jeté avec éclat sa première flamme; l'homme, dans l'édition des *Œuvres* de 1560, apparaît dans la plénitude de sa personnalité.

LES AMOURS (2e édition).

17. — ODE[1] À CASSANDRE

Mignonne, allons voir si la rose
Qui ce matin avait déclose[2]
Sa robe de pourpre au soleil
A[3] point perdu cette vêprée[4]
5   Les plis de sa robe pourprée,
Et son teint au vôtre pareil.

Las! voyez comme en peu d'espace,
Mignonne, elle a dessus la place
Las, las, ses beautés laissé choir!
10   O vraiment marâtre Nature,
Puisqu'une telle fleur ne dure
Que du matin jusques au soir!

Donc, si vous me croyez, mignonne,
Tandis que votre âge fleuronne
15   En sa plus verte nouveauté,
Cueillez, cueillez votre jeunesse :
Comme à cette fleur, la vieillesse
Fera ternir votre beauté.

    1. Mai 1553, deuxième édition des *Amours* — rangée ensuite dans les *Odes* — imitée de l'*Anthologie grecque* (cf. **33**), et surtout d'Ausone (idylle des *Roses*) : « C'était au printemps. [...] Je visitais les roses riantes de Pæstum, chargées de rosée au lever du jour. [...] C'était l'heure où les boutons naissants des roses allaient s'épanouir dans le même temps. L'une verdoie coiffée d'un étroit chapeau de feuilles; l'autre se nuance d'un mince filet que la pourpre rougit; celle-ci découvre déjà le sommet effilé de son cône, dégageant la pointe de sa tête pourprée; celle-là dépliait les voiles ramassés sur son front, rêvant déjà d'étaler un à un ses pétales, et bien vite elle montre les beautés de sa jeune corolle, met au jour le pollen compact et doré qu'elle contient. Mais une autre, qui brillait tout à l'heure de tous les feux de sa chevelure, pâlit, désertée par ses feuilles qui tombent. J'admirais les prompts ravages du temps fugitif et ces roses vieillies sitôt que nées. Voici même que la chevelure rouge de la fleur éclatante se détache tandis que je parle; et la terre brille, jonchée de pourpre. Toutes ces formes, toutes ces naissances et ces métamorphoses, un seul jour les produit, les détruit un seul jour. Nous nous plaignons, Nature, que si brève soit la beauté des fleurs; tu n'étales tes dons sous nos yeux que pour les ravir aussitôt. L'espace d'un jour, c'est ce que vivent les roses; la jeunesse pour elles touche la décrépitude. Celle que l'astre du matin a contemplée naissante, à son retour, tard dans la vêprée, il la revoit toute vieille. [...] Jeune fille, cueille les roses, tandis que leur fleur est nouvelle et neuve ta jeunesse, souviens-toi qu'aussi vite ton âge va passer »; **2.** Contraire de *clore*. Accord du participe (Cf. **45**, v. 86); **3.** Ellipse de la négation; **4.** Soirée.

MÉLANGES — LE BOCAGE

18. — ODE À L'ALOUETTE[1]

T'oserait bien quelque poète
Nier des vers, douce alouette ?
Quant à moi, je ne l'oserois :
Je veux célébrer ton ramage
5   Sur tous oiseaux qui sont en cage
Et sur tous ceux qui sont ès[2] bois.

Qu'il te fait bon ouïr, à l'heure
Que le bouvier les champs laboure[3],
Quand la terre le Printemps sent,
10   Qui plus[4] de ta chanson est gaie
Que courroucée de la plaie
Du soc, qui l'estomac lui fend !

Sitôt que tu es arrosée
Au point du jour, de la rosée,
15   Tu fais en l'air mille discours ;
En l'air des ailes tu frétilles,
Et pendue au ciel tu babilles
Et contes au vent tes amours.

Puis du ciel tu te laisses fondre,
20   Dans un sillon vert, soit pour pondre,
Soit pour éclore ou pour couver,
Soit pour apporter la béchée[5]
A tes petits, ou d'une achée[6],
Ou d'une chenille, ou d'un ver.

1. Novembre 1554. *Mélanges* (retranché dans la suite). Imité des *poèmes anacréontiques :* « Nous envions ton bonheur, ô cigale, lorsque sur la cime des arbres, ayant bu un peu de rosée, tu chantes comme un roi : car c'est à toi qu'appartient tout ce que tu vois dans les champs, tout ce qui pousse dans les forêts. Tu as la tendresse des laboureurs [...] ô doux prophète du printemps... ». Cf. la traduction de Remi Belleau (1556) : « Hà ! que nous t'estimons heureuse, — Gentille cigale amoureuse, — etc. »; 2. En les; 3. Laboure. Cf. *treuve* pour *trouve ;* 4. Porte sur *gaie ;* 5. Becquée; 6. Aiche, éche (esca), ver de terre employé comme appât par le pêcheur.

25 Lors moi, couché dessus l'herbette,
D'une part j'oi ta chansonnette ;
De l'autre, sur du poliot[1],
A l'abri de quelque fougère,
J'écoute la jeune bergère
30 Qui dégoise son lerelot[2].

Lors je dis : « Tu es bienheureuse,
Gentille alouette amoureuse,
Qui n'as peur ni souci de riens[3],
Qui jamais au cœur n'as sentie
35 Les dédains d'une fière amie,
Ni le soin d'amasser des biens ;

« Ou si quelque souci te touche,
C'est, lors que le soleil se couche,
De dormir et de réveiller
40 De tes chansons, avec l'Aurore,
Et bergers et passants encore
Pour les envoyer travailler.

« Mais je[4] vis toujours en tristesse
Pour les fiertés d'une maîtresse
45 Qui paie[5] ma foi[6] de travaux[7]
Et d'une plaisante[8] mensonge[9],
Mensonge qui toujours allonge
La longue trame de mes maux. »

1. Pouliot, plante aromatique du genre des menthes ; 2. Onomatopée, refrain des romances et pastourelles : *dorenlot, laireleu, lirelirelo* ; 3. Substantif ; 4. Sens fort du pronom sujet. Cf. 33, v. 10 ; 5. La muette compte pour une syllabe ; 6. Fidélité ; 7. Épreuves ; 8. Qui flatte ; 9. Souvent encore féminin au XVIe siècle.

19. — ODE[1]
AMOUR PRISONNIER DES MUSES

Les Muses lièrent un jour
De chaînes de roses Amour,
Et, pour le garder, le donnèrent
Aux Grâces et à la Beauté,
5 Qui, voyants sa déloyauté,
Sur Parnasse l'emprisonnèrent.

Sitôt que Vénus l'entendit[2],
Son beau ceston[3] elle vendit
A Vulcain, pour la délivrance
10 De son enfant, et tout soudain,
Ayant l'argent dedans la main,
Fit aux Muses la révérence :

« Muses, déesses des chansons,
Quand il faudrait quatre rançons
15 Pour mon enfant, je les apporte;
Délivrez mon fils prisonnier. »
Mais les Muses l'ont fait lier
D'une chaîne encore plus forte.

Courage donques, amoureux,
20 Vous ne serez plus langoureux :
Amour est au bout de ses ruses;
Plus n'oserait ce faux garçon
Vous refuser quelque chanson,
Puisqu'il est prisonnier des Muses.

---

1. Novembre 1554. *Mélanges.* Imité d'un *poème anacréontique* : « Les Muses
ayant enchaîné Amour avec des guirlandes, l'ont donné en garde à la Beauté.
Et maintenant Vénus, apportant une rançon, cherche à délivrer Amour.
Mais, même si on le rachète, il ne s'en ira pas, il restera ; il s'est fait à la ser-
vitude »; **2.** *Entendre* a souvent le sens d'*entendre dire*; **3.** *Ceste* (du grec *kestos*),
désigne, en mythologie, la ceinture *brodée* de Vénus ou de Junon.

20. — HYMNE À BACCHUS[1]
à Jean Brinon[2]

Que saurais-je mieux faire en ce temps de vendanges
Après avoir chanté d'un verre[3] les louanges,
Sinon chanter Bacchus, et ses fêtes, afin
4 De célébrer le Dieu des verres et du vin ?
[. . . . .]

[*L'invention du vin.*]

93 O Dieu! je m'ébahis de la gorge innocente
Du bouc[4], qui tes autels à ta fête ensanglante.
95 Sans ce père cornu, tu n'eusses point trouvé
Le vin par qui tu as tout le monde abreuvé.
Tu avisas un jour par l'épais d'un bocage
Un grand bouc qui broutait la lambrunche[5] sauvage,
Et soudain qu'il eut bien de la vigne brouté,
100 Tu le vis chanceler tout ivre d'un côté;
A l'heure[6] tu pensas qu'une force divine
Était en cette plante et, bêchant la racine,
Soigneusement tu fis ses sauvages raisins
En l'an suivant après adoucir en bons vins.
105 Après, ayant pitié de notre race humaine,
Qui pour lors étanchait sa soif en la fontaine,
Tu voulus tournoyer[7] toute la terre, afin
D'enseigner aux humains l'usage de ton vin.

[*Le cortège de Bacchus.*]

Tu montas sur un char que deux Lynces[8] farouches
110 Traînaient d'un col félon[9], mâchantes en leurs bouches
Un frein d'or écumeux; leur regard était feu[10],
Pareil aux yeux de ceux qui de nuit ont trop beu[10]·
Un manteau tyrien[11] s'écoulait sur tes hanches;
Un chapelet[12] de lis mêlé de roses franches,

---

1. Novembre 1554. *Mélanges.* Publié à part en 1555, avec une traduction latine de Dorat et la mention *Vers héroïques*, rangé en 1560 parmi les *Hymnes*; 2. Conseiller au parlement, ami de Ronsard et de la Pléiade, qu'il recevait richement en sa maison de Médan. Il avait offert à Ronsard une statue de Bacchus et un verre de Venise. Il mourut en 1555; 3. Il s'agit du verre de Venise reçu en cadeau de Brinon et chanté par Ronsard; 4. Animal consacré à Bacchus. Cf. 46 et, en note, les *dithyrambes* en l'honneur du bouc de Jodelle; 5. Cf. 37, v. 6; 6. Alors; 7. Faire le tour de; 8. Féminin de *lynx*; 9. Rebelle; 10. On prononçait *fu* et *bu*; 11. La ville de Tyr était renommée par ses pêcheries de pourpre; 12. Petit chapeau.

115 Et de feuilles de vigne et de lierre épars,
    Voltigeant, ombrageait ton chef de toutes parts ;
    Devant ton char pompeux marchaient l'Ire[1] et la Crainte,
    Les peu-sobres Propos, et la Colère teinte
    D'un vermillon flambant, le Vice et la Vertu,
120 Le Somme, et le Discord d'un corselet[2] vêtu.
        Son âne[3] talonnait le bon vieillard Silène
    Portant un van mystiq[4] sur une lance pleine
    De pampre[5], et publiait d'une tremblante voix
    De son jeune enfançon[6] les fêtes et les lois.
125 A son cri sautelaient le troupeau des Ménades,
    Des Pans et des Sylvains, des Lènes et Thyades[7],
    Et mêlant en grand bruit de cors et de tambours
    Faisaient trembler d'effroi les villes et les bourgs
    Par où le char passait ; leurs tresses, secouées
130 A l'abandon du vent, erraient, entre-nouées
    De longs serpents privés[8], et leur main brandissait
    Un dard qu'un cep de vigne à l'entour tapissait[9].
        Que tu prenais, Bacchus, en ton cœur de liesse
    De voir sauter de nuit une hurlante presse,
135 Qui couverte de peaux sous les antres ballaient
    Quand les trois ans passés tes fêtes appelaient[10] !
    [. . . . .]

[*Bacchus vendômois.*]

165   Père, un chacun te nomme Esrafiot, Triète,
    Nyséan, Indien, Thébain, Bassar, Phanète[11] :
    Bref en cent mille lieux mille noms tu reçois.
    Mais je te nomme à droit Bacchus le Vendômois !
    Car lorsque tu courais vagabond par le monde,
170 Tu vins camper ton ost[12] au bord gauche de l'onde
    De mon Loir, qui pour lors de ses couteaux[13] voisins

---

1. Allégorie de la colère ; 2. Cuirasse ; 3. Inversion ; 4. Apocope de la muette. Le van était utilisé dans les mystères bachiques comme symbole de la purification de l'âme ; 5. Le *thyrse* ; 6. *Silène* est le père nourricier de Bacchus ; 7. Noms de bacchantes : les Frénétiques *(Ménades)* ; les déesses du pressoir *(Lènes)* ; les Délirantes *(Thyades)* ; 8. Apprivoisés ; 9. Il s'agit encore du Thyrse (cf. v. 122-123) ; 10. Les fêtes de Bacchus étaient triennales. Cf. v. 165. Tout ce passage s'inspire surtout de Catulle · *Noces de Thétis et de Pélée* (v. 252 et suiv.) et d'Ovide : *les Métamorphoses* (IV, 11), également imités par A. Chénier (cf. *Poésies choisies*, collection Larousse). La comparaison s'impose aussi avec les *bacchanales* des peintres de la Renaissance ; 11. Ces appellations de litanie signifient : *Cousu dans* (la cuisse de Jupiter. Cf. v. 185) ; *triennal* (célébré tous les trois ans) ; *originaire de Nysa* ; *vainqueur de l'Inde* ; *honoré à Thèbes* ; *vêtu d'une peau de renard* ; *créateur de lumière* ; 12. *Armée* ; 13. *Coteaux.*

Ne voyait remirer en ses eaux les raisins.
Mais, Père, tout soudain que la terre nouvelle
Sentit tes pieds divins qui marchaient dessus elle,
175 Miracle! tout soudain fertile, elle produit
La vigne hérissée en feuilles et en fruit.
Là, ta main fit prougner[1] une haute coutière,
Qui de ton nom Denys[2] eut nom la Denysière[3].

[*Le délire bachique de Ronsard.*]

Père, où me traînes-tu? que veux-tu plus de moi?
180 Et Père, n'ai-je pas assez chanté de toi?
Evoé[4]! je forcène[5], ah! je sens ma poitrine
Pleine plus que devant de ta fureur divine.
Ah! Bassar[6], je te vois, et tes yeux rougissants
Et flottants sur ton col tes cheveux blondissants.
185 O cuisse-né[6]! je perds mon vagabond courage[7]
Qui suit ton saint orgie[8] emporté de ta rage :
Je sens mon cœur trembler, tant il est agité
Des poignants aiguillons de ta divinité.
Donne-moi d'une part ces cors et ces clochettes,
190 Ces tambours d'autre part, de l'autre ces sonnettes;
Qu'un béguin[9] serpentin me serre les cheveux
Hérissés de lierre, entrefrisés de nœuds,
Et que l'esprit[10] d'Éole[11] en soufflant les tourmente
Comme la feuille éparse ès[12] arbres d'Erymanthe[13]!
[. . . . .]

1. *Provigner* (terme de dialecte); 2. En grec *Dionysos;* 3. Manoir près de
Couture, à l'ouest de la Possonnière; son coteau possédait un vignoble renommé.
C'est par pure fantaisie d'humaniste que Ronsard met en rapport le dieu grec
et ce manoir qui relevait de la Possonnière; 4. Cri bachique; 5. Être *hors* (fors)
de sens; 6. Cf. v. 166 et la note; 7. Cœur; 8. Masculin; le mot est neutre en
grec; 9. Coiffe; 10. Souffle; 11. Dieu du vent; 12. Dans les; 13. Montagne
d'Arcadie couverte d'une vaste forêt.

21. — ODE À CORYDON[1]

J'ai l'esprit tout ennuyé[2]
D'avoir trop étudié
Les Phénomènes d'Arate[3].
Il est temps que je m'ébatte
5 Et que j'aille aux champs jouer.
Bons Dieux! qui voudrait louer
Ceux qui collés sur un livre
N'ont jamais souci de vivre?

Hé, que sert l'étudier[4],
10 Sinon de nous ennuyer[2],
Et soin[5] dessus soin accroître[6],
A nous qui serons peut-être,
Ou ce matin, ou ce soir
Victime[7] de l'Orque[8] noir,
15 De l'Orque qui ne pardonne,
Tant il est fier[9], à personne?

Corydon, marche devant,
Sache où le bon vin se vend :
Fais après à ma bouteille
20 Des feuilles de quelque treille
Un tapon[10] pour la boucher;
Ne m'achète point de chair,
Car, tant soit-elle friande,
L'été je hais la viande.

---

1. Novembre 1554. *Bocage.* Contamination de deux *poèmes anacréontiques* :
1° « Pourquoi veux-tu m'apprendre les règles des rhéteurs et leurs pressants arguments ? Hé! que nous sert tant de langage qui ne nous profite de rien ? Apprends-moi plutôt à boire la douce liqueur de Bacchus; apprends-moi plutôt à folâtrer avec la blonde Aphrodite. Les cheveux blancs couronnent ma tête : donne de l'eau, verse le vin, garçon, endors mon âme : bientôt tu m'enseveliras, et un mort n'a plus de désirs. »; 2° « ... Le présent occupe mes soins, car qui connaît le lendemain ? Pendant qu'il fait encore beau, bois donc, joue aux dés, fais des libations à Bacchus, de peur qu'une maladie ne survienne, disant : « C'est assez bu. »; — *Corydon* est un nom antique, tiré d'une bucolique de Virgile, que Ronsard donne souvent à son valet; **2.** Sens très fort; **3.** Aratos, auteur grec d'un poème didactique sur l'astronomie : *les Phénomènes* (IIIe siècle avant J.-C.); **4.** Verbe substantivé suivant la recette de la Pléiade; **5.** Souci; **6.** Entasser. Prononcer : *accrètre*, comme on a prononcé jusqu'au XVIIIe siècle; **7.** Au singulier; **8.** Ou *Orcus*, dieu des Enfers chez les Latins. Cf. Horace, *Odes* (II, III, v. 24) : « Victime de l'Orcus qui n'a jamais pitié »; **9.** Cruel; **10.** Tampon.

25   Achète des abricots,
Des pompons[1], des artichauts,
Des fraises et de la crème :
C'est en été ce que j'aime,
Quand, sur le bord d'un ruisseau,
30   Je les mange au bruit de l'eau,
Étendu sur le rivage
Ou dans un antre sauvage.

Ores que je suis dispos,
Je veux rire sans repos,
35   De peur que la maladie
Un de ces jours ne me die[2],
Me happant à l'impourvu :
« Meurs, galant : c'est assez bu. »

<hr>

22. — ODE OU SONGE[3]
(L'Amour mouillé.)

11   [...] Il était minuit, et l'Ourse
De son char tournait la course
Entre les mains du Bouvier,
Quand le somme vint lier
15   D'une chaîne sommeillière
Mes yeux clos sous la paupière.

<hr>

1. Cf. *Sonnet* (*51*) à *Charles IX*; **2.** Forme régulière du subjonctif; **3.** Novembre 1554. *Bocage* (texte de 1584). Le poème est primitivement dédié à François de Revergat, poète et avocat de Toulouse, puis, en 1584, à Robertet, secrétaire d'État. — Imité d'un poème anacréontique : « Naguère au milieu de la nuit, à l'heure où la grande Ourse déjà tourne, sous la main du Bouvier, où tous les mortels reposent domptés par la fatigue, Amour survint et frappa du marteau ma porte : « Qui frappe à ma porte ? dis-je. Tu vas mettre en fuite mes rêves. — Ouvre-moi, dit l'Amour, je suis un petit enfant, ne crains rien; je suis mouillé; je me suis perdu dans la nuit sans lune. » Pris de pitié en entendant ces mots, j'allumai ma lampe et j'ouvris; j'aperçus alors un enfant qui portait un arc, des ailes, un carquois. Je le fis asseoir près du feu; dans mes mains je réchauffai les siennes; j'exprimai l'eau de ses cheveux mouillés. Mais lui, dès que le froid ne le tint plus transi : « Allons, dit-il, essayons cet arc, et voyons si la pluie n'en a pas endommagé la corde. » Il tend l'arc, et me blesse, comme un faon, en plein cœur. Sautant alors de joie, et riant aux éclats : « Réjouis-toi, mon hôte; mon arc n'a rien, mais ton cœur sera bien malade ».

Jà je dormais en mon lit
Lors que j'entr'ouis le bruit
D'un[1] qui frappait à ma porte,
20 Et heurtait de telle sorte
Que mon dormir s'en alla :
Je demandai : « Qu'est-ce là
Qui fait à mon huis sa plainte ?
— Je suis enfant, n'aye crainte »,
25 Ce me dit-il ; et adonc
Je lui desserre le gond
De ma porte verrouillée.
« J'ai la chemise mouillée
Qui me trempe jusqu'aux os,
30 Ce disait ; dessus le dos,
Toute nuit, j'ai eu la pluie :
Et, pour ce, je te supplie
De me conduire à ton feu
Pour m'aller sécher un peu. »
35 Lors je pris sa main humide,
Et par pitié je le guide
En ma chambre, et le fis seoir
Au feu qui restait du soir ;
Puis allumant des chandelles,
40 Je vis qu'il portait des ailes,
Dans la main un arc turquois,
Et sous l'aisselle un carquois.
Adonc en mon cœur je pense
Qu'il avait grande puissance,
45 Et qu'il fallait m'apprêter
Pour le faire banqueter.

Cependant il me regarde
D'un œil, de l'autre il prend garde
Si son arc était séché ;
50 Puis, me voyant empêché
A lui faire bonne chère,
Me tire une flèche amère
Droit en l'œil, et qui de là
Plus bas au cœur dévala,
55 Et m'y fit telle ouverture

1. Cf. **1**, v. 1.

Qu'herbe, drogue ni murmure,
N'y serviraient plus de rien.

Voilà, Robertet, le bien
(Mon Robertet qui embrasses
60 Les neuf Muses et les Grâces),
Le bien qui m'est advenu
Pour loger un inconnu.

---

23. — ÉPÎTRE
À AMBROISE DE LA PORTE, PARISIEN[1]

En cependant que le pesteux Autonne
Tes citoyens[2] l'un sur l'autre moissonne,
Et que Charon a les bras tous lassés
D'avoir déjà tant de Mânes passés :
5 Ici, fuyant ta ville périlleuse,
Je suis venu près de Marne l'îleuse,
Non guère loin de la part où ses eaux
D'un bras fourchu baignent les pieds de Meaux :
Meaux dont Bacchus soigneux a pris la garde,
10 Et d'un bon œil ses collines regarde
Riches de vin, qui n'est point surmonté
Du vin d'Ay en friande bonté [...]
17 Dès le matin que l'aube safranée
A du beau jour la clarté ramenée,
Et dès midi jusqu'aux rayons couchans,
20 Tout égaré je m'enfuis par les champs
A humer l'air, à voir les belles prées,
A contempler les collines pamprées,
A voir de loin la charge des pommiers
Presque rompus de leurs fruits autonniers,
25 A repousser sur l'herbe verdelette
A tour de bras l'éteuf[3] d'une palette[4],
A voir couler sur Marne les bateaux,

---

1. 1554. *Bocage.* (Texte de 1578.) La Porte était le fils aîné de l'éditeur des *Amours.* La peste est à Paris en automne 1553. — Souvenir, au début, d'Horace, *Épîtres*, I, VII; **2.** Concitoyens; **3.** La balle; **4.** Avec une palette (raquette). Il joue à la paume en plein air.

A me cacher dans le jonc des îleaux :
Ore je suis quelque lièvre à la trace,
30   Or la perdrix je couvre à la tirace[1] ;
Or d'une ligne apâtant l'hameçon
Loin haut de l'eau j'enlève le poisson :
Or dans les trous d'une île tortueuse
Je vais cherchant l'écrevisse cancreuse[2],
35   Or je me baigne, ou couché sur les bords
Sans y penser à l'envers je m'endors.
      Puis réveillé ma guiterre je touche,
Et m'adossant contre une vieille souche,
Je dis les vers que Tityre[3] chantoit [...]
47   Mais d'autant plus que Poëte j'aime mieux
Le bon Bacchus que tous les autres Dieux,
Sur tous plaisirs la vendange m'agrée,
50   A voir tomber cette manne pourprée
Qu'à pieds déchaux un gâcheur fait couler
Dedans la cuve à force de fouler.
      Sur les coteaux marche d'ordre[4] une troupe,
L'un les raisins d'une serpette coupe,
55   L'autre les porte en sa hotte au pressoüer,
L'un tout autour du pivot fait roüer[5]
La vis qui geint, l'autre le marc asserre[6]
En un monceau, et d'ais pressés le serre,
L'un met à l'anche[7] un panier attaché,
60   L'autre reçoit le pépin écaché[8]
L'un tient le muid[9], l'autre le vin entonne,
Un bruit se fait, le pressoüer en résonne.
      Voilà La Porte, en quel plaisir je suis
Or que ta ville épouvanté je fuis,
65   Or que l'Autonne épanche son usure,
Et que la Livre[10] à juste poids mesure
La nuit égale avec les jours égaux,
Et que les jours ne sont ni froids ni chaux.
      Quelque plaisir toutefois qui me tienne,
70   Faire ne puis qu'il ne me ressouvienne
De ton Paris, et que toujours écrit
Ce grand Paris ne soit en mon esprit :

---

1. Filet qu'on lance sur l'oiseau. *Couvrer* a le sens de *saisir* (Cf. *recouvrer*) ;
2. Qui ressemble au crabe *(cancer)*. Adjectif créé par Ronsard, comme *îleux ;*
3. Berger de la *Iᵉ Bucolique* de Virgile ; **4.** En ordre (Cf. **16**, v. 682) ; **5.** Tourner ;
6. Enferme ; **7.** Tube ou conduit ; **8.** Écrasé ; **9.** Futaille ; **10.** La Balance,
signe du Zodiaque à l'équinoxe d'automne.

Et te promets que si tôt que la bise
Hors des forêts aura la feuille mise,
Faisant des prés la verte robe choir,
Que d'un pied prompt je courrai pour revoir
Mes compagnons, et mes livres, que j'aime
Plus que ces champs, que toi, ni que moi-même.

24. — [À SON LIVRE][1]

Cesse tes pleurs, mon livre : il n'est pas ordonné
Du destin que, moi vif, tu reçoives la gloire;
Avant que passé j'aie outre la rive noire[2]
L'honneur que l'on te doit ne te sera donné.

5 Quelqu'un, après mille ans, de mes vers étonné[3],
Voudra dedans mon Loir comme en Permesse[4] boire,
Et voyant mon pays, à peine voudra croire
Que d'un si petit champ tel poète soit né[5].

Prends, mon livre, prends cœur[6]; la vertu[7] précieuse
10 De l'homme, quand il vit, est toujours odieuse.
Après qu'il est absent chacun le pense[8] un dieu.

La rancœur nuit toujours à ceux qui sont en vie.
Sur les vertus[7] d'un mort elle n'a plus de lieu[9];
Et la postérité rend l'honneur sans envie[10].

---

1. Novembre 1554. *Bocage*. Ce sonnet servit d'épilogue en 1578 aux *Amours* (livre II); 2. Le Styx; 3. Frappé d'admiration; 4. Rivière de Béotie, descendant de l'Hélicon, montagne des Muses; ses sources, Hippocrène et Aganippide, remplissaient d'un poétique enthousiasme ceux qui buvaient de leurs eaux; 5. Imité d'Ovide (élégie qui sert d'épilogue au livre III et dernier des *Amours*) : « L'étranger contemplant les murailles de ma Sulmone aux sources abondantes [sa ville natale dans les Abruzzes] et le peu de champ qu'elles embrassent, dira : « Vous avez pu produire un si grand poète! si petites que vous soyez, certes, vous êtes grandes! »; 6. Courage; 7. Mérite. Cf. Horace, *Ode à Auguste* (III, XXIV, v. 31) : « Nous haïssons la vertu vivante; est-elle soustraite à nos yeux, nous la regrettons, — envieux que nous sommes »; 8. Le considère comme; 9. Cf. 38, v. 32; 10. Imité d'Ovide (élégie épilogue du livre I des *Amours*) : « L'envie se repaît des vivants; après la mort, elle s'apaise; l'honneur est rendu à chacun selon son mérite ».

ODES (3ᵉ édition).

25. — ODE [AU LABOUREUR][1]

Pourquoi, chétif laboureur,
Trembles-tu d'[2]un Empereur[3]
Qui doit bientôt, légère ombre,
Des morts accroître le nombre?
5   Ne sais-tu qu'à tout chacun
Le port d'Enfer est commun,
Et qu'une âme Impériale
Aussitôt là-bas dévale
Dans le bateau de Charon[4]
10   Que l'âme d'un bûcheron?

Courage, coupeur de terre!
Ces grands foudres de la guerre
Non plus que toi n'iront pas
Armés d'un plastron[5] là-bas
15   Comme ils allaient aux batailles:
Autant leur vaudront leurs mailles[6],
Leurs lances et leur estoc[7],
Comme à toi vaudra ton soc.

Car le juge Rhadamante[8],
20   Assuré ne s'épouvante
Non plus de voir un harnois[9]
Là-bas[10] qu'un levier de bois,
Ou voir[11] une souquenie[12]
Qu'une cape bien gagnie,
25   Ou qu'un riche accoutrement[13]
D'un Roi mort pompeusement[14].

---

1. Janvier 1555. 3ᵉ édition des IV livres des *Odes*. « Il nous faudra passer le fleuve infernal, nous tous qui vivons sur cette terre, rois ou pauvres laboureurs » (Horace, *Odes*, II, xiv, v. 9). Dans le développement de ce lieu commun, on trouve ici la marque de la sympathie profonde qu'éprouve Ronsard pour le travailleur de la terre; **2.** A cause de; **3.** Se rappeler la terreur inspirée par Charles Quint; voir ce qui se passait entre 1553 et 1560; **4.** Passeur des morts; **5.** Partie de cuirasse qui couvre le devant du corps. Se rappeler l'importance et le luxe des armures chevaleresques au xviᵉ siècle; **6.** Cotte de mailles; **7.** Épée droite très longue; **8.** Un des juges des Enfers, avec Minos et Éaque; **9.** Ensemble de l'armure; **10.** Troisième reprise du mot; **11.** De *voir*; **12.** Souquenille, casaque de grosse toile; **13.** N'avait pas le sens péjoratif qu'il a maintenant; **14.** Allusion probable au faste des funérailles des rois de France, de François Iᵉʳ, par exemple.

26. — ODE[1]

Quand je suis vingt ou trente mois
Sans retourner en Vendômois,
Plein de pensées[2] vagabondes,
Plein d'un remords et d'un souci,
5   Aux rochers je me plains ainsi,
Aux bois, aux antres, et aux ondes :

Rochers, bien que soyez âgés
De trois mil ans, vous ne changez
Jamais ni d'état[3] ni de forme :
10   Mais toujours ma jeunesse fuit,
Et la vieillesse qui me suit[4],
De jeune en vieillard me transforme.

Bois, bien que perdiez tous les ans
En l'hiver vos cheveux plaisans,
15   L'an d'après qui se renouvelle,
Renouvelle aussi votre chef :
Mais le mien ne peut derechef[5]
R'avoir sa perruque[6] nouvelle.

Antres, je me suis vu chez vous
20   Avoir jadis verts les genoux,
Le corps habile[7], et la main bonne :
Mais ores[8] j'ai le corps plus dur,
Et les genoux, que n'est le mur
Qui froidement vous environne.

25   Ondes, sans fin vous promenez,
Et vous menez et ramenez
Vos flots d'un cours qui ne séjourne :
Et moi sans faire long séjour
Je m'en vais de nuit et de jour
30   Au lieu d'où plus on ne retourne[9].

1. Janvier 1555. 3ᵉ édition des IV livres des *Odes ;* 2. La muette compte pour une syllabe; 3. Position; 4. Terme de vénerie, *suivre à la piste ;* 5. En revenant au commencement (chef); 6. Chevelure naturelle, et non coupée; 7. Souple; 8. Maintenant; 9. Correction du v. 30 : « *Mais comme vous je ne retourne* ».

Si est-ce que[1] je ne voudrois
Avoir été rocher ou bois[2],
Antre, ni onde, pour défendre,
Mon corps contre l'âge emplumé :
35 Car ainsi dur je n'eusse aimé
Toi qui m'as fait vieillir, Cassandre.

27. — ODE[3]

Ma douce jouvence est passée,
Ma première force est cassée,
J'ai la dent noire et le chef blanc,
Mes nerfs sont dissous, et mes veines,
5 Tant j'ai le corps froid, ne sont pleines
Que d'une eau rousse en lieu de sang.

Adieu, ma lyre, adieu, fillettes,
Jadis mes douces amourettes,
Adieu, je sens venir ma fin :
10 Nul passetemps de ma jeunesse
Ne m'accompagne en la vieillesse,
Que le feu, le lit et le vin.

J'ai la tête toute élourdie[4]
De trop d'ans et de maladie;
15 De tous côtés le soin me mord,
Et soit que j'aille ou que je tarde,
Toujours après moi je regarde
Si je verrai venir la Mort,

Qui doit, ce me semble, à toute heure
20 Me mener là-bas, où demeure
Je ne sais quel Pluton, qui tient
Ouvert à tous venants un antre
Où bien facilement on entre,
Mais d'où jamais on ne revient.

1. Toujours est-il; **2.** Correction des v. 32 à 26 : « *Pour avoir la peau plus épaisse — Et vaincre le temps emplumé — Car ainsi dur je n'eusse aimé — Toi qui m'as fait vieillir, Maîtresse* » (1578); **3.** Janvier 1555. 3ᵉ édit. des IV livres des *Odes*. Paraphrase d'Anacréon : « Déjà grisonnent mes tempes, ma tête est chenue, l'attrayante jeunesse n'est plus là, mes dents sont vieilles. Il ne me reste plus grand temps pour goûter aux douceurs de la vie. Aussi, je sanglote souvent, redoutant le Tartare : l'antre d'Hadès [Pluton] est affreux, et pénible en est la descente, car il n'est pas facile à qui a descendu de remonter »; **4.** Alourdie. Cf. Marot, *Épître au roi* : « C'est une lourde et longue *maladie* — De trois longs mois, qui m'a tout *élourdie* — La pauvre *tête...* »

CONTINUATION DES AMOURS

28. — À PONTUS DE TYARD[1]

Tyard, on me blâmoit à mon commencement,
De quoi[2] j'étais obscur au simple populaire :
Mais on dit aujourd'hui que je suis au contraire[3],
Et que je me démens, parlant trop bassement.

5 Toi, de qui le labeur enfante doctement
Des livres immortels, dis-moi, que dois-je faire ?
Dis-moi (car tu sais tout) comme dois-je complaire
A ce monstre têtu, divers en jugement ?

Quand je tonne en mes vers[4], il a peur de me lire :
10 Quand ma voix se désenfle, il ne fait qu'en médire.
Dis-moi de quels liens, force, tenaille et clous,

Tiendrai-je ce Proté[5], qui se change à tous coups ?
Tyard, je t'entends bien, il le faut laisser dire,
Et nous rire de lui, comme il se rit de nous.

— 29 —

Je veux lire en trois jours l'Iliade d'Homère,
Et pour ce, Corydon[6], ferme bien l'huis sur moi :
Si rien[7] me vient troubler, je t'assure ma foi[8],
Tu sentiras combien pesante est ma colère.

5 Je ne veux seulement[9] que notre chambrière
Vienne faire mon lit, ton compagnon, ni toi;
Je veux trois jours entiers demeurer à recoi[10],
Pour folâtrer, après, une semaine entière.

1. Août 1555. *Continuation des Amours*. Ce sonnet sert de préface. Ce poète ami de Ronsard, réputé pour sa science (v. 7) et son obscurité, avait résumé dans *Solitaire Premier* (1552) les critiques adressées aux premières œuvres de Ronsard; 2. De ce que; 3. Tourné en sens contraire; 4. Allusion aux odes pindariques; 5. Dieu marin et prophète, qui prenait toutes sortes de formes pour échapper à ceux qui voulaient connaître de lui l'avenir. Cf. Horace : « De quel lien tiendrais-je ce *Protée* divers de visage ? »; 6. Cf. 21; 7. Quelque chose; 8. Je te l'affirme par serment; 9. Pas même; 10. Tranquillement.

Mais si quelqu'un venait de la part de Cassandre,
10 Ouvre-lui tôt la porte, et ne le fais attendre,
Soudain entre en ma chambre, et me viens accoutrer.

Je veux tant seulement à lui seul me montrer :
Au reste, si un dieu voulait pour moi descendre
Du ciel ferme la porte, et ne le laisse entrer.

— 30[1] —

Douce, belle, amoureuse et bien fleurante rose,
Que tu es à bon droit aux amours consacrée!
Ta délicate odeur hommes et Dieux récrée,
Et bref, rose, tu es belle sur toute chose.

5 Marie[2] pour son chef un beau bouquet compose
De ta feuille, et toujours sa tête en est parée;
Toujours cette Angevine, unique Cythérée[3],
Du parfum de ton eau sa jeune face arrose[4].

Ha Dieu! que je suis aise alors que je te voi[5]
10 Éclore au point du jour sur l'épine[6] à recoi,
Aux jardins de Bourgueil, près d'une eau[7] solitaire!

De toi les Nymphes ont les coudes et le sein,
De toi l'Aurore emprunte et sa joue et sa main,
Et son teint la beauté qu'on adore en Cythère[8].

---

1. Texte de 1578, imité du poème anacréontique : *A la Rose :* « Avec le printemps, porteur de couronnes, [...] je veux chanter la douceur de la rose. Elle est l'haleine des dieux, le charme des mortels. Ornement des Charites [les Grâces], elle est aussi la parure de Vénus. [...] Il est doux d'essayer de l'atteindre dans les sentiers épineux. [...] De rose l'Aurore a les doigts, de rose les nymphes ont les coudes, de rose est le teint de Vénus, si l'on en croit les doctes... »; **2.** La muette compte pour une syllabe; **3.** Vénus. (Cf. v. 14 et 36, v. 310); **4.** Texte primitif de ce quatrain : « *La Grâce pour son chef un chapelet compose — De ta feuille, et toujours sa gorge en est parée ; — Unique Cythérée — De ton eau pour son fard sa belle joue arrose* »; **5.** Orthographe alors régulière; **6.** Le rosier; **7.** Texte primitif : *bois*; **8.** Texte primitif : « *Et son teint ceste-là qui d'Amour est la mère* ».

31. — ODE : LA ROSE
à Guillaume Aubert[1], Poitevin.
(Imitation d'Anacréon[2].)

Versons ces roses en ce vin,
En ce bon vin versons ces roses,
Et boivons l'un à l'autre, afin
Qu'au cœur nos tristesses encloses
5   Prennent en boivant quelque fin.

La belle rose du printemps,
Aubert, admoneste les hommes
Passer joyeusement le temps,
Et, pendant que jeunes nous sommes,
10   Ébattre la fleur de nos ans.

Tout ainsi qu'elle défleurit
Fanie[3] en une matinée,
Ainsi notre âge se flétrit,
Las! et en moins d'une journée
15   Le printemps d'un homme périt.

Ne vis-tu pas hier Brinon[4]
Parlant et faisant bonne chère,
Qui las! aujourd'hui n'est sinon
Qu'un peu de poudre en une bière,
20   Qui de lui n'a rien que le nom?

Nul ne dérobe son trépas,
Charon serre tout en sa nasse[5],
Rois et pauvres tombent là-bas;
Mais cependant le temps se passe,
25   Rose, et je ne te chante pas.

---

1. Poète et avocat, traducteur du XIIe livre d'*Amadis de Gaule*, grand ami de J. Du Bellay et son éditeur posthume; **2.** Contamination de la pièce anacréontique citée **30**, note 1, et d'un autre poème d'Anacréon : « Mêlons à Dionysos la rose des Amours. Les tempes couronnées de la rose aux beaux pétales, buvons, un doux sourire aux lèvres. O Rose, ô la plus belle des fleurs! ô Rose, tendre soin du printemps! ô Rose, volupté des Dieux! c'est de roses que le fils de Cythérée enlace ses belles joues quand il danse avec les Charites, etc. »; **3.** Ancien verbe *fanir*; **4.** Jean Brinon (cf. **20**, note 2) était mort prématurément dans l'année (1555); **5.** Diminutif : *nacelle* : « Il passe la rivière du Cher, avec ses gens, dans une nasse » (lettres de Pasquier).

La rose est l'honneur d'un pourpris[1].
La rose est des fleurs la plus belle,
Et dessus toutes a le prix :
C'est pour cela que je l'appelle
La violette de Cypris.

La rose est le bouquet d'Amour,
La rose est le jeu des Charites,
La rose blanchit tout autour
Au matin de perles petites
Qu'elle emprunte du point du jour.

La rose est le parfum des Dieux,
La rose est l'honneur des pucelles,
Qui leur sein beaucoup aiment mieux
Enrichir de roses nouvelles
Que d'un or tant soit précieux.

Est-il rien sans elle de beau ?
La rose embellit toutes choses,
Vénus de roses a la peau,
Et l'Aurore a les doigts de roses,
Et le front le soleil nouveau.

Les nymphes de rose ont le sein,
Les coudes, les flancs et les hanches :
Hébé de roses a la main
Et les Charites, tant soient blanches,
Ont le front de roses tout plein.

Que le mien en soit couronné,
Ce m'est un laurier de victoire :
Sus, appelons le Deux-fois-né[2],
Le Bon Père, et le faisons boire,
De cent roses environné.

Bacchus, épris de la beauté
Des roses aux feuilles vermeilles,
Sans elles n'a jamais été,
Quand en chemise sous les treilles
Il boit au plus chaud de l'ete[3].

30

35

40

45

50

55

60

---

1. Clos, jardin clôturé (de *pour-prendre*); 2. Bacchus, né de Sémélé, puis de Jupiter qui l'avait enfermé dans sa cuisse : Cf. **20**, v. 165 et v. 185 et les notes; 3. Cf. **20**, v. 105 à 194, où apparaît déjà la naturalisation française du dieu grec.

— 32[1] —

Ronsard. — Que dis-tu, que fais-tu, pensive tourterelle,
Dessus cet arbre sec ? *La Tourterelle.* — Viateur[2], je
[lamente[3].
R. — Pourquoi lamentes-tu ? T. — Pour ma compagne[4]
[absente,
Dont[5] je meurs de douleur. R. — De quelle part[6] est-elle ?

5 T. — Un cruel oiseleur par glueuse cautelle[7]
L'a prise et l'a tuée : et nuit et jour je chante
Ses obsèques ici, nommant la mort méchante
Qu'[8]elle ne m'a tuée avecque ma fidelle.

R. — Voudrais-tu bien mourir et suivre ta compagne[4] ?
10 T. — Aussi bien je languis en ce bois ténébreux,
Où toujours le regret de sa mort m'accompagne[4].

R. — O gentils oiselets, que vous êtes heureux !
Nature d'elle-même à l'amour vous enseigne,
Qui mourez et vivez fidèles amoureux[9].

— 33[10] —

Je vous envoie un bouquet que ma main
Vient de trier de ces fleurs épanies[11] :
Qui[12] ne les eût à ce vêpre[13] cueillies,
Chutes à terre elles fussent demain.

5 Cela vous soit un exemple certain
Que vos beautés, bien qu'elles soient fleuries,

1. Texte de 1584; 2. Passant; 3. Je me lamente; 4. Prononcez : compaigne,
rime avec *enseigne* (cf. Montaigne = Montagne); cf. 5, v. 61 et 62; 5. Par suite
de quoi; 6. Lieu; 7. Par ruse, avec des gluaux; 8. Parce que; 9. Texte de 1578 :
« ... *A loyamment* (= loyalement) *aimer votre cœur nous enseigne* — *Qui mourant
et vivant est toujours amoureux* »; 10. (Retranché en 1578.) Imité d'une épi-
gramme de Rufin (*Anthologie grecque*, v. 74) : « Je t'envoie, Rhodoclée, cette
couronne qu'avec de belles fleurs j'ai moi-même tressée de mes mains : il
y a des lis, des roses en bouton, des anémones humides, des narcisses flexibles,
des violettes au sombre éclat. Couronne-t'en, et meure ta fierté : tu fleuris,
tu te meurs, ainsi que la couronne »; 11. Épanouies; 12. Si quelqu'un;
13. Ce soir.

En peu de temps cherront toutes flétries,
Et comme fleurs périront tout soudain.

Le temps s'en va, le temps s'en va, ma Dame;
10   Las! le temps non, mais nous[1] nous en allons,
Et tôt serons étendus sous la lame[2] :

Et des amours[3] desquelles nous parlons,
Quand serons morts, ne sera plus nouvelle!
Pource[4] aimez-moi, cependant qu'êtes belle.

— 34[5] —

Rossignol mon mignon, qui par cette saulaie
Vas seul de branche en branche à ton gré voletant,
Et chantes à l'envi de moi qui vais chantant
Celle qu'il faut toujours que dans la bouche j'aie.

5 Nous soupirons tous deux; ta douce voix s'essaie
De sonner l'amitié d'une qui t'aime tant,
Et moi triste je vais la beauté regrettant
Qui m'a fait dans le cœur une si aigre plaie.

Toutefois, Rossignol, nous différons d'un point,
10 C'est que tu es aimé, et je ne le suis point,
Bien que tous deux ayons les musiques pareilles :

Car tu fléchis t'amie[6] au doux bruit de tes sons,
Mais la mienne qui prend à dépit mes chansons,
Pour ne les écouter se bouche les oreilles.

---

1. Valeur forte du pronom personnel sujet (= c'est nous qui). Cf. 18,
v. 43; 2. Dalle sépulcrale; 3. Féminin; 4. S'élide; 5. (Retranché en 1578.)
Imité de Pétrarque (*Après la mort de Laure*, sonnet 89) : « Gentil oiselet qui
vas chantant ou pleurant tes jours passés, en voyant la nuit et l'hiver à tes côtés,
et le jour et les mois joyeux derrière toi! — Si comme tu connais tes maux
pesants, tu connaissais mon état semblable au tien, tu viendrais dans le sein
de cet inconsolé pour partager avec lui les douloureuses plaintes. — Je ne sais
si les parts seraient égales; car celle que tu pleures est peut-être en vie, tandis
que la mort et le ciel sont tant avares pour moi... »; 6. Ton amie.

LES HYMNES

35. — HYMNE DE LA MORT,
à Pierre Paschal[1].

VERS HÉROÏQUES

[*Prélude.*]

On ne saurait, Paschal, désormais inventer
Un argument[2] nouveau qui soit bon à chanter
Ou haut sur la trompette, ou bas dessus la lyre;
Aux anciens la Muse a tout permis de dire,
5 Tellement qu'il ne reste à nous autres derniers
Sinon le désespoir d'ensuivre les premiers,
Et béant[3] après eux reconnaître leur trace
Faite au chemin frayé qui conduit sur Parnasse.
[. . . . .]
21   Moi donc, qui de longtemps par épreuve sais bien
Qu'au sommet de Parnasse on ne trouve plus rien
Pour étancher la soif d'une gorge altérée,
Je m'en vais découvrir quelque source sacrée
25 D'un ruisseau non touché, qui murmurant s'enfuit
Dedans un beau verger loin de[4] gens et de[4] bruit,
Source que le soleil n'aura jamais connue,
Que les oiseaux du ciel de leur bouche cornue
N'auront jamais souillée, et où les pastoureaux
30 N'auront jamais conduit les pieds de leurs taureaux.
Je boirai tout mon soûl de cette onde pucelle,
Et puis je chanterai quelque chanson nouvelle,
Dont les accords seront peut-être si très[5] doux
Que les siècles voudront les redire après nous;
35 Et, suivant ce conseil[6], à nul des vieux antiques,
Larron, je ne devrai mes chansons poétiques;

1. 1555. Premier livre des *Hymnes*. Paschal était historiographe du roi. Il mystifia son ami Ronsard et les hommes de lettres de son temps, en leur annonçant faussement qu'il préparait leur panégyrique. Ronsard lui retira la dédicace de ce poème, qui, refusée par Jean Morel, puis par Mlle Camille Morel qui « ne voulaient être honorés des dépouilles d'autrui », passa à Louis des Masures traducteur de *l'Énéide*; 2. Un sujet; 3. La bouche ouverte d'envie; 4. Des, du; 5. Emploi fréquent de *si* devant *très* dans l'ancienne langue; 6. Dessein.

Car il me plaît pour toi de faire ici ramer
Mes propres avirons dessus ma propre mer,
Et de voler au ciel par une voie étrange[1],
40 Te chantant de la Mort la non-dite louange.
    C'est une grand'déesse, et qui mérite bien
Mes vers, puisqu'elle fait aux hommes tant de bien.
[. . . . .]

[*Louange de la mort.*]
51   Ainsi qu'un prisonnier, qui jour et nuit endure
Les manicles[2] aux mains, aux pieds la chaîne dure,
Se doit bien réjouir à l'heure qu'il se voit
Délivré de prison; ainsi l'homme se doit
55 Réjouir grandement, quand la Mort lui délie
Le lien qui serrait sa misérable vie.
[. . . . .]
77   Puisqu'il faut au marchand sur la mer voyager,
Est-ce pas le meilleur, après maint grand danger,
Retourner en sa terre, et revoir son rivage?
80 Puisqu'on est résolu d'accomplir un voyage,
Est-ce pas le meilleur de bientôt mettre à fin,
Pour regagner l'hôtel, la longueur du chemin?
De ce chemin mondain qui est dur et pénible[3],
Épineux, raboteux, et fâcheux au possible,
85 Maintenant[4] large et long, et maintenant[4] étroit,
Où[5] celui de la Mort est un chemin tout droit,
Si certain à tenir que ceux qui ne voient goutte
Sans fourvoyer d'un pas n'en faillent point la route.
    Si les hommes pensaient à part eux quelquefois
90 Qu'il nous faut tous mourir, et que même les rois
Ne peuvent éviter de la Mort la puissance,
Ils prendraient en leurs cœurs un peu de patience.
Sommes-nous plus divins qu'Achille ni qu'Ajax,
Qu'Alexandre ou César, qui ne se surent pas
95 Défendre de la mort, bien qu'ils eussent en guerre
Réduite[6] sous leurs mains presque toute la terre?
Beaucoup, ne sachant point qu'ils sont enfants de Dieu
Pleurent avant partir[7], et s'attristent, au lieu

---

1. Nouvelle. Ronsard semble oublier la *Complainte sur la mort de Robertet*, par Marot; **2.** Menottes; **3.** Cf. une comparaison du même genre dans les *Derniers vers de P. de Ronsard*; **4.** Tantôt; **5.** Tandis que; **6.** Accord du participe; **7.** Sur cette expression toute faite, cf. Introduction (p. 8, note 2).

De chanter hautement le péan[1] de victoire,
100 Et pensent que la Mort soit quelque bête noire
Qui les viendra manger, et que dix mille vers
Rongeront de leurs corps les os tous[2] découverts,
Et leur test[3] qui doit être, en un coin solitaire,
L'effroyable ornement d'un ombreux cimetière.
105 Chétif, après la mort le corps ne sent plus rien[4];
En vain tu es peureux, il ne sent mal ni bien.
[. . . . .]
113 C'est le tout que l'esprit, qui sent après la mort,
Selon que le bon œuvre ou le vice le mord;
115 C'est le tout que de l'âme! Il faut avoir soin d'elle,
D'autant que Dieu l'a faite à jamais immortelle.
[. . . . .]

[Le chrétien ne doit pas craindre la mort.]

183   Tu me diras encor que tu trembles de crainte
D'un batelier Charon, qui passe par contrainte
185 Les lames outre l'eau d'un torrent effroyant[5],
Et que tu crains le Chien[6] à trois voix aboyant,
Et les eaux de Tantal'[7], et le roc de Sisyphe[7],
Et des cruelles Sœurs[8] l'abominable griffe,
Et tout cela qu'ont feint les Poëtes là-bas
190 Nous attendre aux Enfers après notre trépas.
    Quiconque dit ceci, pour Dieu qu'il te souvienne
Que ton âme n'est pas païenne, mais chrétienne,
Et que notre grand Maître en la croix étendu
Et mourant, de la Mort l'aiguillon a perdu.
195 Et d'elle maintenant n'a fait qu'un beau passage
A retourner au Ciel, pour nous donner courage
De porter notre croix, fardeau léger et doux,
Et de mourir pour lui, comme il est mort pour nous,
Sans craindre, comme enfans, la nacelle infernale,
200 Le rocher d'Ixion[9], et les eaux de Tantale[7],
Et Charon, et le Chien Cerbère à trois abois,
Desquels le sang de Christ t'affranchit en la Croix,
Pourvu qu'en ton vivant tu lui veuilles complaire,

---

1. Hymne en l'honneur d'un dieu, chant de fête; **2.** *Tout* découverts. Cf. **16**, v. 757; **3.** Tête (sens primitif : *pot d'argile, cruche*); **4.** Même argument dans Lucrèce, *De natura rerum*, livre III; **5.** Le Styx; **6.** Cerbère. Cf. v. 201; **7.** Cf. **5**, v. 118 et la note; **8.** Les Parques; **9.** Confusion de Sisyphe et d'Ixion, qui, lui, était attaché à une roue.

Faisant ses mandemens qui sont aisés à faire :
205 Car son joug est plaisant, gracieux et léger,
Qui le dos nous soulage en lieu de[1] le charger.
[. . . . .]

[*Invocation finale.*]

218   Que ta puissance, ô Mort, est grande et admirable :
Rien au monde par toi ne se dit perdurable[2] ;
220 Mais tout ainsi que l'onde, à val[3] des ruisseaux, fuit
Le pressant coulement de l'autre qui la suit,
Ainsi le temps se coule[4], et le présent fait place
Au futur importun qui les talons lui trace.
Ce qui fut se refait ; tout coule comme une eau,
225 Et rien dessous le ciel ne se voit de nouveau ;
Mais la forme se change en une autre nouvelle,
Et ce changement-là VIVRE au monde s'appelle,
Et MOURIR quand la forme en une autre s'en va ;
Ainsi avec Vénus la Nature trouva
230 Moyen de ranimer par longs et divers changes[5]
La matière restant[6], tout cela que tu manges ;
Mais notre âme immortelle est toujours en un lieu,
Au change[5] non sujette, assise auprès de Dieu,
Citoyenne à jamais de la ville éthérée,
235 Qu'elle avait si longtemps en ce corps désirée.
    Je te salue, heureuse et profitable Mort,
Des extrêmes douleurs médecin et confort !
Quand mon heure viendra, Déesse, je te prie,
Ne me laisse longtemps languir en maladie,
240 Tourmenté dans un lit ; mais puisqu'il faut mourir,
Donne-moi que soudain, je te puisse encourir,
Ou pour l'honneur de Dieu, ou pour servir mon Prince,
Navré[7], poitrine ouverte, au bord de ma province !

---

1. Au lieu de ; **2.** D'une durée indéfinie ; **3.** En descendant le cours ; **4.** Coule (emploi du réfléchi pour le simple. Se sourire = sourire ; **5.** Changements ; **6.** Alors que la matière subsiste (Cf. *Élégie* 67, fin) ; **7.** Blessé.

36. — HYMNE DE L'OR[1],
à Jean Dorat[2].

VERS HÉROÏQUES

[*Prélude.*]

Je ferais un grand tort à mes vers et à moi
Si, en parlant de l'Or, je ne parlais de toi
Qui as le nom doré, mon Dorat : car cet hymne[3]
De qui les vers sont d'Or, d'un autre homme n'est digne[3]
5 Que de toi, dont le nom[4], la muse[2] et le parler[2]
Semblent l'Or, que ton fleuve Orence[4] fait couler.

[. . . . .]

[*La légende de l'or.*]

266   On dit que Jupiter pour vanter sa puissance,
Montrait un jour sa foudre, et Mars montrait sa lance,
Saturne sa grand[5] faux, Neptune son trident,
Apollon son bel arc, Amour son trait ardent,
270 Bacchus son beau vignoble, et Cérès ses campagnes,
Flore ses belles fleurs, le dieu Pan ses montagnes,
Hercule sa massue, et bref les autres dieux
L'un sur l'autre vantaient leurs biens à qui mieux mieux ;
Toutefois ils donnaient, par une voix commune,
275 L'honneur de ce débat au grand prince Neptune,
Quand la Terre leur mère[6], épointe[7] de douleur
Qu'un autre par sus elle emportait cet honneur,
Ouvrit son large sein, et, au travers des fentes
De sa peau, leur montra les mines d'or luisantes,
280 Qui rayonnent ainsi que l'éclair du soleil
Reluisant au matin, lorsque son beau réveil
N'est point environné de l'épais d'un nuage,
Ou comme l'on voit luire au soir le beau visage
De Vesper[8] la Cyprine[9] allumant les beaux crins
285 De son chef bien lavé dedans les flots marins.
Incontinent les dieux étonnés confessèrent
Qu'elle était la plus riche, et flattants la pressèrent

---

1. 1555. *Hymnes* (livre I) ; 2. Cf. Notice, pp. 12 et 13 ; 3. Prononcez : *hinne* (ainsi Ronsard écrit souvent le mot) et : *dine* (on prononce encore *signet : sinet*) ; 4. Affluent de la Vienne et *rivière* du Limousin, patrie de Dorat, d'où il aurait tiré son surnom (son vrai nom était Dinemandi = Dinematin). On dit encore que l'Orence (ou Aurence) roule des paillettes d'or *(Dict. Joanne)* ; 5. Forme régulière du féminin de cet adjectif. Cf. grand-rue, etc. ; 6. La terre est la « Mère des Dieux » ; 7. Piquée (verbe *époindre*) ; 8. « Étoile » du soir ou Vénus ; 9. Surnom de Vénus adorée à Chypre.

De leur donner un peu de *cela* radieux
Que son ventre cachait, pour en orner les cieux :
290 Ils ne le nommaient point; car, ainsi qu'il est ore[1],
L'or, pour n'être connu, ne se nommait encore;
Ce que la Terre fit, et, prodigue, honora
De son or ses enfants, et leurs cieux en dora.

Adoncque, Jupiter en fit jaunir son trône,
295 Son sceptre, sa couronne, et Junon la matrone,
Ainsi que son époux, son beau trône en forma,
Et dedans ses patins[2] par rayons l'enferma.
Le soleil en crêpa[3] sa chevelure blonde,
Et en dora son char qui donne jour au monde
300 Mercure en fit orner sa verge[4] qui n'était
Auparavant que d'if; et Phébus, qui portait
L'arc de bois et la harpe, en fit soudain reluire
Les deux bouts de son arc et les flancs de sa lyre.
Amour en fit son trait, et Pallas, qui n'a point
305 La richesse en grand soin, en eut le cœur époint[5],
Si bien qu'elle en dora le groin de sa Gorgone[6],
Et tout le corselet[7] qui son corps environne.
Mars en fit engraver[8] sa hache et son boucler[9],
Les Grâces en ont fait leur demi-ceint[10] boucler[11],
310 Et pour l'honneur de lui Vénus la Cythérée[12]
Toujours depuis s'est fait appeler la Dorée[13].
[. . . . .]

[*Invocation finale.*]

598　Je te salue, heureux et plus qu'heureux métal,
Qui nourris les humains et les sauves du mal!
600 Celui qui dignement voudra chanter ta grâce,
Ta vertu, tes honneurs, il faudra qu'il se fasse
Argentier, général[14] ou trésorier d'un roi,
Ayant toujours les doigts jaunes de ton aloi[15],
Et non pas écolier qui de ta grand[16] puissance,
605 Pour te voir rarement, a peu d'expérience!

1. Maintenant; 2. Soulier féminin, à hautes semelles; 3. Frisa doucement comme un crêpe; 4. Le caducée; 5. Cf. v. 276; 6. Monstre dont Pallas avait placé la tête sur son bouclier ou au centre de sa cuirasse; 7. *Corps* de cuirasse comprenant le *plastron* (**25**, v. 14) et la *dossière;* 8. Damasquiner (dans le métal de la hache ou du bouclier sont incisés des traits, dans lesquels sont coulés des filets d'or); 9. Bouclier; 10. Ceinture d'argent; 11. Pourvoir d'une boucle; 12. Vénus était aussi adorée à Cythère (cf. 30); 13. Ce nom est très souvent décerné par les poètes aux dieux de l'Olympe; 14. Le contrôleur général des finances s'appelait quelquefois absolument le *général;* 15. *Titre* légal de la monnaie d'or; 16. Cf. v. 268, note.

JEAN DORAT
Portrait attribué à Nicolas Denisot.

37. — À L'AUBÉPIN[1]

Bel aubépin verdissant,
  Fleurissant[2],
Le long de ce beau rivage,
Tu es vêtu jusqu'au bas
  Des longs bras
D'une lambrunche[3] sauvage.

 5

Deux camps drillants[4] de foùrmis
  Se sont mis
En garnison sous ta souche;
Et dans ton tronc mi-mangé
  Arrangé[5]
Les avettes ont leur couche[6].

 10

Le gentil rossignolet[7]
  Nouvelet,
Avecques sa bien-aimée[8],
Pour ses amours alléger
  Vient loger
Tous les ans en ta ramée,

 15

Dans laquelle il fait son ni,
  Bien garni
De laine et de fine soie[9],
Où ses petits s'écloront,
  Qui seront
De mes mains la douce proie.

 20

---

1. Fin 1556, dans la *Nouvelle Continuation des Amours; ***2.** « *Fleurissant —
Verdissant* » (1578); **3.** Vigne sauvage; **4.** Qui s'agitent fiévreusement; **5.** Inversion; **6.** La strophe se lit ainsi en 1578 : « *Deux camps de rouges fourmis — Se
sont mis. — En garnison sous ta souche : — En ton pied demi-mangé — Allongé —
Les avettes ont leur couche.* » En 1584 : « *Dans les pertuis de ton tronc — Tout
du long — Les avettes ont leur couche* »; **7.** « *Le chantre rossignolet* » (1578);
8. « *Courtisant sa bien-aimée* » (1578); **9.** « *Sur ta cime il fait son ni — Fort uni
— De mousse et de fine soie* » (1578).

25   Or vis, gentil aubépin,
           Vis sans fin,
        Vis sans que jamais tonnerre,
        Ou la cognée, ou les vents,
           Ou les temps,
30   Te puissent ruer par terre[1] !

---

38. — ODE EN DIALOGUE[2]

RONSARD.

Pour avoir trop aimé votre bande inégale[3]
Muses qui défiez (ce dites-vous) les temps,
J'ai les yeux tous[4] battus, la face toute pâle,
Le chef grison et chauve, et si[5] n'ai que trente ans.

MUSES.

5   Au nocher qui sans cesse erre sur la marine[6]
Le teint noir appartient : le soldat n'est point beau
Sans être tout poudreux : qui courbe la poitrine
Sur nos livres, est laid, s'il n'a pâle la peau.

RONSARD.

Mais quelle récompense aurai-je de tant suivre
10 Vos danses nuit et jour, un laurier sur le front ?
Et cependant les ans, auxquels je dusse vivre,
En plaisirs et en jeux comme poudre s'en vont.

---

1. Le mètre employé dans cette ode n'est pas de l'invention de Ronsard; il est très ancien en France. Ronsard l'a employé aussi avec bonheur dans *le Folastrissime voyage d'Arcueil* (vers 1549) :

> Voici l'aube safranée
> Qui jà née
> Couvre d'œillets et de fleurs
> Le ciel qui le jour desserre,
> Et la terre
> De rosées et de pleurs..

2. Fin 1556, dans la *Nouvelle Continuation des Amours* (ode supprimée en 1584); 3. De nombre impair, elles sont neuf : *Musas amat impares*, Horace, *Odes* (III, xx, v. 13). Certains pensent toutefois que *inégal* a ici le sens de « inconstant, qui ne répond pas à ses promesses »; 4. L'adjectif pour l'adverbe, comme pour *toute pâle*. Cf. 16, v. 757; 5. *Et* pourtant; 6. Mer.

MUSES.

Vous aurez en vivant une fameuse gloire,
Puis quand vous serez mort votre nom fleurira :
15 L'âge de siècle en siècle aura de vous mémoire.
Seulement[1] votre corps au tombeau pourrira.

RONSARD.

O le gentil loyer[2] ! que sert au vieil Homère,
Ores qu'il n'est plus rien sous la tombe là-bas,
Et qu'il n'a plus ni chef, ni bras, ni jambe entière,
20 Si son renom fleurit, ou s'il ne fleurit pas ?

MUSES.

Vous êtes abusé : le corps dessous la lame[3]
Pourri ne sent plus rien, aussi ne lui en chaut[4] :
Mais un tel accident n'arrive point à l'âme,
Qui sans matière vit immortelle là-haut.

RONSARD.

25 Bien, je vous suivrai donc d'une face riante,
Dussé-je trépasser de l'étude vaincu,
Afin qu'après ma mort à la race suivante
Je ne sois diffamé qu'[5]en porc[6] j'aurai vécu.

MUSES.

Voilà sagement dit : ceux dont la fantaisie[7]
30 Sera religieuse, et dévote envers Dieu,
Toujours maugré les ans vivra leur Poësie,
Et dessus leur renom la Parque n'aura lieu[8].

1. Seul; 2. Récompense; 3. La dalle sépulcrale; 4. Ellipse du pronom sujet;
5. De ce que; 6. Texte primitif : *oisif*; 7. Imagination poétique; 8. Occasion
de s'exercer. « Les avertissements n'ont ni force ni lieu » (Régnier).

39. — LA QUENOUILLE[1]
[pour Marie.]

Quenouille, de Pallas[2] la compagne et l'amie,
Cher présent que je porte à ma chère ennemie,
Afin de soulager l'ennui qu'elle a de moi,
Disant quelque chanson en filant de sur toi,
5 Faisant pirouetter, tout le jour amusée[3],
Ou son rond devideau[4] ou sa grosse fusée[5],
Sus! Quenouille, suis-moi, je te mène servir
Celle que je ne puis m'engarder[6] de suivir[7].
Tu ne viendras ès[8] mains d'une pucelle oisive,
10 Qui ne fait qu'attifer sa perruque[9] lascive[10],
Et qui perd tout le jour à mirer et farder
Sa face, à celle fin[11] qu'on l'aille regarder;
Mais bien entre les mains d'une disposte[12] fille,
Qui dévide, qui coud, qui ménage[13] et qui file,
15 Avecques ses deux sœurs, pour tromper ses ennuis,
L'hiver devant le feu, l'été devant son huis.
Aussi, je ne voudrais que toi, Quenouille gente[14],
Qui es de Vendômois (où le peuple se vante

1. Écrit en 1557, publié en 1560 à la fin du second livre des *Amours*. Imitation de Théocrite (don d'une quenouille d'ivoire à Theugénis, femme de son ami Nicias) « Quenouille amie des fileuses, présent que la déesse aux yeux étincelants, Pallas Athéna, fait aux femmes dont l'esprit s'entend aux soins du ménage, accompagne-moi avec confiance dans la cité illustre de Néleus (Milet). [...] Je veux te remettre en présent, toi, faite d'ivoire laborieusement travaillé, aux mains de l'épouse de Nicias. Avec elle tu travailleras beaucoup de laines pour des vêtements d'homme [...] tant elle est active à l'ouvrage. Je ne voudrais pas te remettre chez une oisive, toi qui es de notre pays. [...] Tu feras que, parmi les femmes de son pays, Theugénis se distingue par sa belle quenouille; tu lui rappelleras sans cesse le souvenir de l'hôte ami des chants; car en te voyant on dira : « Grand fut le bon vouloir, si le don fut petit; tout a du prix, venant de l'amitié » (xxviii, traduction Ph.-E. Legrand, 1925); 2. Cf. le texte de Théocrite; 3. Qui travaille sérieusement. « C'est un homme qui s'amuse à l'étude » (Furetière, xviie siècle); 4. Dévidoir. Sans doute forme populaire ou dialectale. Correction de 1578 : « *Tout le jour son rouet et sa grosse fusée.* » Le dévidoir est un « instrument qui tourne sur un pivot avec des ailes qu'on étend ou qu'on resserre comme on veut, sur lesquelles on met l'écheveau qu'on veut dévider » (Furetière, xviie siècle). Cf. v. 14 et 61, v. 2; 5. Fil qui s'enroule autour du *fuseau*. Terme technique. Du Bellay dans la *Défense* et Ronsard dans son *Art poétique* recommandent l'emploi des termes des arts et métiers; 6. Me garder; 7. Forme ancienne de *suivre*, en voie de disparition. Correction de 1578, des v. 6-7 : « *Quenouille, je te mène où je suis arrêté, — Je voudrais racheter par toi ma liberté* »; 8. Cf. 18, v. 6; 9. Cf. 26, v. 18; 10. Folâtre; 11. A *cette* fin (courant au xvie siècle); 12. Féminin de *dispost, dispos (dispositus)*. Cf. 6, v. 2; 13. S'occupe du ménage; 14. Mot qui commençait à vieillir. Correction de 1578, des trois v. 17 à 19 : « ... Quenouille *faite* — En notre Vendômois (où le peuple regrette — Le jour qui passe en vain), allasses en Anjou ».

D'être bon ménager[1]), allasses en Anjou
20 Pour demeurer oisive et te rouiller au clou.
Je te puis assurer que sa main délicate
Filera dougément[2] quelque drap d'écarlate,
Qui si fin et si souef[3] en sa laine sera,
Que pour un jour de fête un roi le vêtira.
25 Suis-moi donc, tu seras la plus que bienvenue,
Quenouille, des deux bouts et grêlette[4] et menue,
Un peu grosse au milieu où la filasse[5] tient,
Étreinte d'un ruban qui de Montoire[6] vient,
Aime-laine[7], aime-fil[7], aime-estain[8], maisonnière[9],
30 Longue, palladienne[10], enflée[11], chansonnière[9];
De Couture déloge, et va droit à Bourgueil,
Où, Quenouille, on te doit recevoir d'un bon œil,
Car le petit présent qu'un loyal ami donne,
Passe des puissants rois le sceptre et la couronne[12].

---

1. Cf. **4**, v. 5; 2. Terme du dialecte vendômois et angevin. Cf. **16**, v. 645 et la note. Hémistiche corrigé en 1567 : « *Peut-être filera* »; en 1584 : « *Filera dextrement* »; 3. Doublet de *suave* = doux. Ne se dit plus au XVIIe siècle (cf. Furetière) que pour les parfums; 4. Goût de la Pléiade pour les diminutifs. Cf. en particulier **14**; 5. Terme technique. Cf. **16**, v. 649; 6. Sur le Loir, en amont de Couture, où Ronsard aura, par la suite, le prieuré de Saint-Gilles; 7. Mots composés par Ronsard : « Tu composeras hardiment des mots à l'imitation des Grecs et des Latins, *pourvu qu'ils soient gracieux et plaisants à l'oreille* » (*Art poétique*. — Cf. Du Bellay, *Défense*; H. Estienne, *Précellence*, etc.); 8. *L'estain (stamen)* est la laine écardée et peignée, prête à filer. Terme technique employé en composition; 9. Adjectifs forgés par Ronsard. *Chansonnier* a survécu. Pour le sens, cf. v. 4; 10. Adjectif forgé. Cf. v. 1; 11. La muette compte dans la mesure du vers. « Qui a la tête grosse et enflée de filasse » (commentaire de R. Belleau); 12. « Si toutes les dames qui se sont moquées du simple et peu riche présent du Poète à une belle et simple fille bien apprise et non otieuse [oisive] étaient aussi preudes-femmes, que notre siècle en vaudrait mieux ! » (conclusion du commentaire de Belleau).

---

40. — À SINOPE[1]

L'an se rajeunissait en sa verte jouvence,
Quand je m'épris de vous, ma Sinope cruelle :
Seize ans était la fleur de votre âge nouvelle[2],
Et votre teint sentait encore son enfance.

5 Vous aviez d'une infante[3] encor la contenance,
La parole et les pas : votre bouche était belle,
Votre front et vos mains dignes d'une Immortelle,
Et votre œil qui me fait trépasser quand j'y pense.

Amour, qui ce jour-là si grandes beautés vit,
10 Dans un marbre, en mon cœur d'un trait les écrivit
Et si pour le jour d'hui vos beautés si parfaites[4]

Ne sont comme autrefois, je n'en suis moins ravi :
Car je n'ai pas égard à cela que vous êtes,
Mais au doux souvenir des beautés que je vi[5].

---

1. 1560. (Retranché dans la suite.) *Sinope* est une inconnue, de haute naissance, célébrée dans une courte série de sonnets, sous ce nom grec (*sinô-ôps*
= dont le regard blesse. Cf. v. 8) ; **2.** Est encore souvent féminin au XVIIᵉ siècle ;
3. Fillette ; **4.** Attribut ; **5.** Orthographe régulière.

LES POÈMES

41. — ÉLÉGIE
au seigneur Lhuillier[1].

[Dans cette élégie désenchantée de la « quarantaine », Ronsard exprime cette idée que si l'âge accroît l'expérience des philosophes, des savants et des artistes, il amortit au contraire la fougue des poètes.]

23   Comme on voit en septembre aux tonneaux Angevins
      Bouillir en écumant la jeunesse des vins,
25 Qui chaude en son berceau[2] à toute force gronde,
      Et voudroit tout d'un coup sortir hors de sa bonde,
      Ardente, impatiente, et n'a point de repos
      De s'enfler, d'écumer, de jaillir à gros flots,
      Tant que[3] le froid d'Hiver lui ait dompté sa force,
30 Rembarrant sa puissance ès[4] prisons d'une écorce,
      Ainsi la Poësie en la jeune saison
      Bouillonne dans nos cœurs, qui n'a soin de raison,
      Serve de l'appétit, et brusquement anime
      D'un Poëte gaillard la fureur magnanime :
35 Il devient amoureux, il suit les grands Seigneurs;
      Il aime les faveurs, il cherche les honneurs,
      Et plein de passions, en l'esprit ne repose
      Que de nuit et de jour ardent il ne compose :
      Soupçonneux, furieux, superbe et dédaigneux,
40 Et de lui seulement curieux et soigneux,
      Se feignant[5] quelque Dieu : tant la rage félonne
      De son jeune désir son courage aiguillonne.
      Mais quand trente-cinq ans ou quarante ont perdu
      Le sang chaud qui étoit ès[4] veines répandu,
45 Et que les cheveux blancs de peu à peu s'avancent,
      Et que nos genoux froids à trembloter commencent,

1. 1560. Premier livre des *Poèmes*. Lhuillier de La Maisonfleur, gentilhomme servant à la cour, auteur de *Psaumes*, devenu dans la suite protestant militant : Ronsard lui retira la dédicace du poème; 2. Bers ou *berceau*, terme angevin désignant les futailles où l'on met le vin nouveau; 3. Jusqu'à ce que; 4. En les; 5. S'imaginant être.

Et que le front se ride en diverses façons,
Lors la Muse s'enfuit et nos belles chansons.
Pégase¹ se tarit, et n'y a plus de trace
50 Qui nous puisse conduire au sommet de Parnasse,
Nos lauriers sont séchés, et le train de nos vers
Se présente à nos yeux boiteux et de travers :
Toujours quelque malheur en marchant les retarde,
Et comme par dépit la Muse les regarde.
55 Car l'âme leur défaut², la force et la grandeur
Que produisait le sang en sa première ardeur.
  Et pour ce, si quelqu'un désire être poète,
Il faut que sans vieillir être jeune il souhaite,
Prompt, gaillard, amoureux ; car, après que le temps
60 Aura dessus sa tête amassé quarante ans,
Ainsi qu'un rossignol tiendra la bouche close,
Qui près de ses petits sans chanter se repose.
Au rossignol muet tout semblable je suis,
Qui maintenant un vers dégoiser³ je⁴ ne puis.
[. . . . .]

---

1. La source Hippocrène, qui jaillit sous le sabot de *Pégase*, le cheval ailé de Bellérophon, portait quelquefois le nom de *Pegasis ;* **2.** De *défaillir ;* **3.** Chanter, gazouiller, en parlant des oiseaux, sans aucun sens péjoratif. Cf. **18**, v. 30 ; **4.** Le pronom personnel serait aujourd'hui superflu.

QUESTIONS SUR LA PREMIÈRE PARTIE

1. ODE À HENRI II (p. 15).

Expliquer : embrasse (11); thébaine Grâce (13); vertu (14); corde dorienne (16); douce merveille (27); darde (39); étonnent (43); dépiter (45).

— Le style « pindarique » : énergie; magnificence et variété des images (étudier en détail la comparaison de la première strophe. Cf. note 2).

— La versification : la triade (sa composition, genre de vers adopté, différence de l'épode et des strophes); art de la disposition des rimes dans la strophe (chercher des strophes analogues chez Malherbe et Hugo); beauté sonore.

— La composition (désordre étudié).

— L'inspiration : glorification du héros, de sa mission, de sa race; idée orgueilleuse de la fonction du poète.

— Conclusion : défauts et qualités de l'imitation de Pindare par Ronsard.

2. À SA LYRE (p. 17).

Plan de l'ode. Analyser et caractériser quelle conception Ronsard a ici de la poésie. En rechercher : a) les éléments antiques; b) les éléments personnels.

— Par des exemples empruntés aux *Odes* de 1550, et en particulier aux *Odes pindariques* (**1** et **16**), et à ce que l'on sait de la poésie avant Ronsard et au temps de Ronsard, commenter le tableau qu'il fait, du v. 19 au v. 40, de sa « révolution poétique ».

— Caractériser, d'après cette ode, l'imitation des Anciens chez Ronsard en 1550. Étudier l'art de Ronsard (la strophe et le style) : a) les défauts; b) les qualités.

3. PREMIÈRE ODE À LA FONTAINE BELLERIE (p. 20).

Expliquer : au creux (4); fuyantes (5); ce (10); je ne sais quoi (18); Canicule (22); tellement que (24); drue (25); aux (26, 27); prononciation de parcs (26); bestial (28) [cf. les bestiaux]; moi célébrant (31) [cf. ode d'Horace].

— Montrer la recherche de l'expression dans le style et la langue : vigueur des mots; place des mots; répétition des mots (exemple : *cache, vert...*), étudier les corrections apportées au texte primitif cité en notes.

— Étudier la versification : la strophe, les rimes, sonorités.

— Analyser le sentiment de la nature chez Ronsard : précision et force des impressions. — Montrer son alliance intime avec les souvenirs livresques.

— Comparer avec l'ode d'Horace et définir l'originalité de Ronsard.

4. Deuxième ode à la fontaine Bellerie (p. 21).

Expliquer : ménager (5); aire (7); ainsi (9, 13); en religion (10).
— Comparer le texte avec le texte primitif (notes 6, 8, 10, p. 21;
et 3, p. 22), se demander si les corrections ont été heureuses.
— Comparer cette ode avec la précédente sur les points suivants :
le style; la strophe, les sonorités; les souvenirs antiques; le
sentiment.

5. Ode de l'élection de son sépulcre (p. 22).

Expliquer : hautaines (2); dévalants (3) [orthographe et sens];
contre-bas (3); oyez (8); meure (10); ravi (11); commun jour (12);
levé (15); accolant' (20) [orthographe et sens]; s'amie (21); rompe
(25); l'office (45); rapprit (57); compaignes, montaignes (61, 62);
élire (66); orna (67); manne (69); oncques (91); dévala (92);
constante (93); haleine (97); déçue (118); divers (119); va... flattant
(123); l'écoutant (124).
— Plan général de l'ode (on distinguera quatre parties).
— Étudier la versification et examiner cette opinion de Sainte-
Beuve : « Ce petit vers masculin de quatre syllabes qui tombe à la
fin de chaque stance, produit à la longue une impression mélan-
colique : c'est comme un son de cloche funèbre. »
— Analyser les éléments antiques de l'inspiration : vœu d'une
sépulture rustique, institution d'un culte pastoral, conception de
l'immortalité due au poète. — Chercher les éléments originaux
(comparer avec les sépultures de la Renaissance; avec les sépultures
romantiques : Rousseau, Chateaubriand, Shelley, Musset, etc.).
— On se demandera si Ronsard a eu raison de supprimer dans
la suite les strophes 4 à 6.

6. À sa Muse (p. 27).

Expliquer : restant de lui (8); harpeurs (13); babil, lyre (14);
sus (16); serrant (20).
— Versification : l'ode peut-elle se diviser en strophes ? Étudier
la combinaison des rimes.
— Comparer avec l'ode d'Horace citée note 1 (dans le style et
dans le fond).
— Définir l'intérêt de cette ode par la place qu'elle occupe, et
en elle-même, par les sentiments qu'elle exprime.

7. Les Amours (p. 28).

Expliquer : or, ores (2); délace (4); ennuie (5); bas, haut (7);
pique, rétif (9).
— Étudier l'art du développement par antithèse.
— Étudier la « chute » en examinant la correction (note 8).
— Comparer avec Pétrarque (note 2).

— 8 — (p. 28).

Expliquer : plus tôt (2) ; au décocher (2) ; fièrement humaine (8) ; éventeront (11).
— Quelle est la pensée générale du sonnet ?
— Où apparaît le pédantisme ?
— Le sonnet garde-t-il une valeur poétique ?

— 9 — (p. 29).

Expliquer : de peu de jours (2) ; *ton* soir, clora (3) ; d'espoir (4) ; un vulgaire, fable (9) ; l'incertain (10) ; affolle (12) ; lors que (13) ; sceller (13).
— Indiquer le sens général du sonnet. — Étudier sa composition.
— Le style (obscurité et majesté sibyllines).
— Originalité de Ronsard par rapport à Pétrarque (notes 2 et 9).
— Chercher en quoi la destinée de l'œuvre de Ronsard (cf. Juge-ments, à la fin du second volume) a vérifié cet oracle.

— 10 — (p. 30).

Étudier la composition du sonnet : le style et la langue : préciosité et énergie.
— La sensibilité : l'amitié (comparer avec les sonnets de Joachim Du Bellay cités en note) ; la passion (comparer avec la sextine de Pétrarque) [note 10].

— 11 — (p. 31).

Étudier le mélange du *maniérisme* et du *sentiment*.

— 12 — (p. 31).

Montrer comme Ronsard a profondément rajeuni son modèle : mouvement plus vif (les corrections du v. 8 sont-elles heureuses ?) ; « chute » plus saisissante ; le pittoresque vendômois (insister sur la valeur expressive des qualificatifs) ; émotion plus pénétrante (cher-cher dans la poésie moderne des accents analogues).

— 13 — (p. 32).

Expliquer : franc, de raison, de fureur (1) ; or (3, 4) ; trait (5) ; courage (6) ; repaître (12) ; à longs morceaux (13).
— Que signifie l'allégorie contenue dans ce sonnet ? — En suivre le développement. — En chercher les éléments qui viennent du Moyen Age, et ceux qui viennent de l'Antiquité.

— 14 — (p. 33).

Étudier la préciosité du tableau (chercher des analogues dans la peinture de la Renaissance) ; le mouvement du sonnet (expliquer en détail les deux derniers vers); le sentiment (comparer avec les passages de Pétrarque, note 1).

— 15 — (p. 34).

Expliquer : l'imparfait (2); son mieux (5) [cf. **9**, note 8].

— Montrer dans ce sonnet l'union, sous une forme étudiée et vibrante (examiner les corrections), de la mythologie païenne et du platonisme. Comparer avec Joachim Du Bellay [note 11] et Lamartine dans les *Méditations* (« Là je m'enivrerai à la source où j'aspire... », *l'Isolement*).

QUESTIONS GÉNÉRALES SUR 7 À 15.

Jugement sur Ronsard *pétrarquisant* : *a)* défauts (préciosité, obscurité, pédantisme); *b)* qualités (vigueur de langue et de style, sensibilité).

— Comparer avec Scève, Tyard, J. Du Bellay.

— Jugement sur Ronsard *sonnettiste : a)* le vers; *b)* la rime : tendance à la normalisation du sonnet; *c)* l'architecture. Comparer avec Marot, Scève, Tyard, J. Du Bellay.

— Comparer avec la théorie extrême du sonnet (chez les Parnassiens : Banville, *Petit Traité de versification française;* Heredia, *les Trophées*).

16. ODE À MICHEL DE L'HOSPITAL (p. 35).

Situer l'ode dans la carrière pindarique de Ronsard.

— Étudier le style; les défauts : obscurités, gaucheries; les qualités : saveur du langage (mots expressifs, mots forgés, emprunts aux langues techniques, aux dialectes [cf. **39**]) et vigueur plastique du style.

— La versification : la triade (différenciation de l'épode et de la strophe); étude du rythme et de la rime; étude de la disposition des rimes (montrer que Ronsard ne suit pas rigoureusement son principe de l'alternance des masculines et des féminines, et que la strophe est ici inorganique, comparée à celle de l'ode 1); ampleur sonore du mouvement lyrique.

— Étudier ce qui donne à cette fresque mythologique, conçue dans le goût des grands décorateurs de l'époque, la vertu d'un symbole : sentiment profond de la mission divine de la poésie, sentiment de la fatalité de la révolution poétique de 1550, exaltation de ceux qui en ont assuré le triomphe.

— Se demander ce qui a fait le succès de cette ode triomphale auprès des contemporains.

QUESTIONS GÉNÉRALES SUR LA PREMIÈRE PARTIE.

Essayer de définir, d'après les textes étudiés, ce qu'on a pu appeler la *première manière de Ronsard*.

— Comment Ronsard a-t-il conçu et pratiqué l'*imitation* de 1545 à 1552 ?

— Pourquoi peut-on affirmer que, même dans les imitations les plus malencontreuses de Pindare ou des Italiens, la personnalité du poète n'est pas étouffée : essayer de la définir à l'aide d'exemples précis.

QUESTIONS SUR LA DEUXIÈME PARTIE

17. Ode à Cassandre (p. 41).

Expliquer : de pourpre (3) ; pourprée (5) ; espace (7) ; dessus la place (8) ; beautés (9) ; verte (15).

— Relever les emprunts faits à Ausone (idée générale, développement, détails).

— Définir, par l'étude de la composition, de la langue, du style et de la versification, l'originalité de Ronsard : concision, logique, émotion.

— Comparer avec le sonnet **58**.

— Expliquer la célébrité de cette pièce.

18. Ode à l'alouette (p. 42).

Expliquer : nier (2) ; ouïr (7) ; j'oi (26) ; à l'heure (7) ; sent (9) ; courroucée (11) [sens du mot, rôle de la muette dans le vers] ; estomac (12) ; de (14) ; discours (15) ; pendue (17) ; éclore (21) ; d' (23) ; lors, dessus, herbette (25) ; dégoise (30) [cf. **41**, v. 64, note] ; gentille (32) ; riens (33) ; fière (35) ; soin (36) ; encore (41) ; fiertés (44) ; trame (48).

— Composition de la pièce.

— Étude de la strophe et de la versification.

— Comparer avec le texte inspirateur, et montrer l'originalité de cette transposition (Ronsard animalier ; le sentiment de la nature ; le « moi »).

19. Amour prisonnier des Muses (p. 44).

Expliquer : voyants (5) ; sur Parnasse (6) ; entendit (7) ; ceston (8) ; dedans (11) ; donques (19).

— Montrer la supériorité de Ronsard sur son modèle : action plus dramatique, art plus savant, conclusion plus piquante et plus intéressante.

20. Hymne à Bacchus (p. 45).

Expliquer : ébahis (93) ; par (97) ; soudain que (99) ; à l'heure (101) ; mâchantes (110) ; épars (115) ; pompeux (117) ; talonnait (121) ;

publiait (123); entre-nouées (130); presse (134); à droit (168); remirer (172); dessus (174); hérissée (176); coutière (177); vagabond (185); serpentin (191).

— Étudier dans cet hymne : 1° l'érudition mythologique chez Ronsard (« sa muse en français parlant grec et latin », on se demandera ce qui, dans ce texte, est de nature à justifier le grief de Boileau); 2° l'élément « provincial » et « personnel » dans l'utilisation poétique du mythe grec; 3° le style flamboyant de cette évocation. A l'appui de cette étude, on comparera la fresque de Ronsard avec les *Bacchanales* de la Renaissance; et avec le *Bacchus* d'André Chénier *(Églogues)*.

21. ODE À CORYDON (p. 48).

Expliquer : ennuyé (1); m'ébatte (4); aux champs (5); l'étudier (9); victime (14); tapon (21); chair (22); friande (23); pompons (26); ores, dispos (33); die (36); happant, impourvu (37); galant (38).

— Étudier la forme de cette ode : différence de la strophe avec la strophe des odes précédentes; différence de la dernière strophe; caractériser le style.

— Expliquer pourquoi les emprunts faits avec art aux Anciens (Virgile, Horace, pseudo-Anacréon) ne nuisent pas à la sincérité de l'inspiration : épicurisme (sentiment du plaisir et de la mort); sentiment très frais de la nature.

— Comparer et opposer à **29**.

22. ODE OU SONGE (p. 49).

Déterminer l'originalité de Ronsard en comparant son *Amour mouillé* avec celui du pseudo-Anacréon, son modèle antique.

— Comparer avec l'imitation du même poème anacréontique par La Fontaine :

> J'étais couché mollement
> Et, contre mon ordinaire,
> Je dormais tranquillement,
> Quand un enfant s'en vint faire
> 5   A ma porte quelque bruit.
> Il pleuvait fort cette nuit :
> Le vent, le froid et l'orage,
> Contre l'enfant faisaient rage.
> « Ouvrez, dit-il, je suis nu. »
> 10 Moi, charitable et bonhomme,
> J'ouvre au pauvre morfondu,
> Et m'enquiers comme il se nomme.
> « Je te le dirai tantôt,
> Repartit-il; car il faut
> 15 Qu'auparavant je m'essuie. »

J'allume aussitôt du feu.
Je regarde si la pluie
N'a point gâté quelque peu
Un arc dont je me méfie.
20 Je m'approche toutefois,
Et de l'enfant prends les doigts,
Les réchauffe ; et dans moi-même
Je dis : « Pourquoi craindre tant ?
Que peut-il ? c'est un enfant :
25 Ma couardise est extrême
D'avoir eu le moindre effroi ;
Que serait-ce si chez moi
J'avais reçu Polyphème ? »
L'enfant d'un air enjoué
30 Ayant un peu secoué
Les pièces de son armure
Et sa blonde chevelure,
Prend un trait, un trait vainqueur,
Qu'il me lance au fond du cœur.
35 « Voilà, dit-il, pour ta peine.
Souviens-toi bien de Clymène
Et de l'Amour, c'est mon nom.
— Ah! je vous connais, lui dis-je,
Ingrat et cruel garçon ;
40 Faut-il que qui vous oblige
Soit traité de la façon ? »
Amour fit une gambade,
Et le petit scélérat
Me dit : « Pauvre camarade,
45 Mon arc est en bon état
Mais ton cœur est bien malade. »

23. Épître à Ambroise de La Porte (p. 51).

Faire le plan général de l'épître.
— Mots à expliquer : en cependant que (1) ; de Marne (6) ;
îleuse (6) ; part (7) ; pieds (8) ; du vin d'Ay (12) ; prées (21) ; autom-
niers (24) ; à tour de bras (26) ; ore ou or (29 à 35) ; tortueuse (33) ;
sans y penser (36) ; à l'envers (36) ; touche (37) ; d'autant plus que...
mieux (47) ; sur (49) ; manne (50) ; déchaux, gâcheur (51) ; prononciation de pressoüer (55) ; pivot (56) ; marc (57) ; ais (58) ; entonne
(61) ; épanche son usure (65).
— Étudier le style des v. 51 à 66 : a) précision descriptive ;
b) beauté sonore.
— Caractériser le ton général de la pièce.
— Étudier le sentiment de la nature qui s'y exprime.
— Comparer avec l'Épître à Lamoignon de Boileau.

24. [À SON LIVRE] (p. 53).

Commentaire écrit : Expliquer d'abord tous les termes qui réclament un éclaircissement de sens ou un commentaire historique. Faire ressortir les mérites littéraires de ce sonnet. Dégager et commenter les sentiments divers et les idées que Ronsard y a exprimés.

25. ODE [AU LABOUREUR] (p. 54).

Expliquer : chétif (1) ; à tout chacun (5) ; *d*'Enfer, sens de Enfer, commun (6) ; dévale (8) ; foudres (12) ; assuré (20).

— Montrer comment Ronsard rajeunit un lieu commun (cf. Horace, note 1) : 1° par une sensibilité personnelle (remarque sur le paganisme de Ronsard) ; 2° par un style vigoureux et imagé (mots expressifs, opposition concrète des armes et des vêtements, etc.) ; 3° par le rythme original (étude de la strophe, cf. **21**) ; pourquoi la dernière est-elle languissante ?.

26. ODE (p. 55).

Expliquer : pensées vagabondes (3) ; un remords, souci (4) ; soyez (7) ; perdiez (13) ; état (9) ; suit (11) ; cheveux (14) [cf. **2**, v. 49] ; chef (16) ; perruque (18) ; ores (22) ; séjourne, séjour (27, 28) ; emplumé (34) ; ainsi dur (35).

— Étudier la composition : sa logique ; le développement varié du thème ; la conclusion inattendue.

— Le style : quelques gaucheries ; l'énergie (les corrections sont-elles heureuses ?).

— La versification (faiblesse de certaines rimes, art de la strophe, étudier en détail les sonorités des v. 25 à 30).

— L'émotion : le sentiment de la nature chez le poète vendômois ; l'idée de la nature opposée à l'homme (chercher des accents du même genre chez les poètes modernes).

27. ODE (p. 56).

On montrera que, dans cette *paraphrase* d'Anacréon, Ronsard a su exprimer *d'une façon très émouvante* la mélancolie de la vieillesse prématurée et de la mort.

— Chercher des accents analogues dans d'autres poèmes de Ronsard, et chez d'autres poètes (Horace, Villon, etc.), et déterminer l'originalité de cette pièce.

28. À PONTUS DE TYARD (p. 57).

Expliquer : simple (2) ; populaire (2) [cf. **9**, note 8] ; démens, parlant (4) ; comme (7).

— Qualifier le *ton* du sonnet, qui rappelle celui des *Regrets*.

— En le situant à sa place et à sa date dans l'œuvre de Ronsard, en tenant compte du destinataire, montrer son intérêt.

— 29 — (p. 57).

Expliquer : *l'*huis (2); chambrière (5); *tôt* (10); *me* viens (11); accoutrer (11) [cf. **25**, note 13]; tant seulement (12).

— Intérêt du sonnet : 1º art délicat dans sa simplicité; 2º l'humaniste peint par lui-même dans son intimité.

— 30 — (p. 58).

Expliquer : fleurante (1); récrée (3); chef (5); unique (7); épine (10); à recoi (10) [cf. **29**, v. 7]; Angevine (7); Bourgueil (11) [cf. Notice].

— Étudier la grâce du style et du vers non exempte de gaucherie (voir la correction).

— Ronsard poète de la rose (cf. **17** et **31**); paganisme (cf. le texte d'Anacréon, note 1); amour; sentiment de la nature.

31. ODE : LA ROSE (p. 59).

Étudier la contamination des deux pièces anacréontiques.

— Chercher d'où vient l'originalité de Ronsard en montrant : 1º la poésie de son style [comparer cette *Symphonie en rose* avec la *Symphonie en or* de l'*Hymne de l'or*, **36**]; 2º la fraîcheur de son sentiment de l'antique, de la nature et de la beauté; 3º la sincérité de son épicurisme.

— M. Henri Longnon a-t-il eu raison, à votre avis, de supprimer, dans son édition de la *Fleur des poésies de Ronsard* (1923), les v. 16 à 25, comme constituant une fâcheuse digression?

— 32 — (p. 61).

Expliquer : dessus (2); compagne absente (3); obsèques (7); avecque, ma fidelle (8); aussi bien (10); Nature (13); *à* l'amour (13).

— Originalité de ce sonnet : 1º le sentiment. (Étudier le commentaire de Belleau : « Voulant *couvertement* toucher *l'inconstance* de sa dame il dit que les oiseaux sont heureux d'aimer si constamment. »); 2º la composition en dialogue; la versification : étudier les rimes des quatrains et les rimes des tercets conçues contre les règles marotiques adoptées par Ronsard.

— 33 — (p. 61).

Expliquer : chutes (4); cherront (7); soit (5); remarque sur la présence (v. 10) ou l'absence (serons, sera [13]; êtes [14]) du pronom sujet.

— Étudier la composition.

— Étudier la versification (retour au vers décasyllabique, rythme; rimes des tercets).

— Montrer le rajeunissement par l'émotion d'un lieu commun (cf. note 10).

— Comparer avec l'ode **17** et le sonnet **58**.

— Pourquoi Ronsard a-t-il retranché ce sonnet de ses œuvres ?

— 34 — (p. 62).

Expliquer : par (1); voletant (2); à l'envi de (3); sonner (6); une (6) [cf. **1**, v. 1]; *vais* chantant (3); regrettant (7); à dépit (13).

— Étudier l'art dans le développement du parallèle.

— Différence avec le sonnet de Pétrarque (note 5).

35. HYMNE DE LA MORT (p. 63).

Prélude.

Expliquer : trompette, lyre (3); ensuivre (6); sur Parnasse (8) [cf. **19**, v. 6]; par épreuve (21); dedans (26); bouche cornue (28); soûl (31); vieux antiques (35); larron (36); dessus (38); ma propre mer (38); non-dite (40); grand' (41).

— Étudier l'éloquence du style (variété, fermeté).

— Montrer l'intérêt littéraire de ce prélude, signe d'une profonde transformation de Ronsard : montrer qu'elle est le terme logique d'une évolution, en examinant les différentes manières dont il a imité les Anciens depuis ses débuts.

— Comparer avec l'*Invention* d'André Chénier.

Vers 51 à 116.

Expliquer : est-ce pas (81); hôtel (82); mondain (83); fourvoyer (88); faillent (88); chétif (105); bon œuvre (114).

— Quel est l'objet de Ronsard dans cet éloge, en apparence paradoxal, de la mort ? Relevez les différentes maximes ou croyances *spiritualistes*, sinon spécifiquement *chrétiennes*, qui s'y trouvent réunies : la mort-délivrance, la vie considérée comme un voyage, immortalité de l'âme, idée du salut, etc. Le spiritualisme exposé ici est-il en contradiction formelle avec son épicurisme si souvent manifesté ? est-il le résultat d'un revirement philosophique dû à la maturité ?

— Étudier le style de Ronsard philosophe et poète.

Vers 183 à 206.

Expliquer : Charon (184); outre (185); ont feint (189); pour Dieu (191); l'aiguillon a perdu (194); à retourner (196); comme enfants, nacelle (199); mandemens (204); qui (206).

— Analyse du passage : 1º l'objection; 2º la réponse.

— Étudier l'originalité de l'inspiration : 1º philosophique; 2º chrétienne (cf. **67** et comparer avec la conception toute païenne de la mort jusque-là exprimée par Ronsard [cf. **13**, **25**]).

— Étudier l'originalité de la forme : vers bien frappés, antithèse...; les défauts : une certaine raideur dans la « période ».

Vers 218 à 243.

Expliquer : tout ainsi que (220); pressant coulement (221); suit (221); futur importun (223); trace (223); dessous (225); cela (231); assise (233); ville éthérée (234); confort (237); en (239); encourir (241); province (243).

— Étudier le mélange de philosophie païenne (cf. **62**, fin) et de spiritualisme chrétien (cf. **38**, **68**).

— L'émotion personnelle, v. 236 à 243.

QUESTIONS GÉNÉRALES SUR L' « HYMNE DE LA MORT ». — Pourquoi cet hymne est-il devenu très célèbre en son temps ? (Voir volume II, Notice : Ronsard de 1560 à 1572.)

— Comparer Ronsard à Lamartine : *l'Immortalité* (Méditations).

36. HYMNE DE L'OR (p. 67).

Expliquer : le parler (5); sur (273); prince (275); par sus (277); l'épais (282) [cf. **9**, v. 10]; crins (284); chef, dedans (285); incontinent (286); flattants (287) [cf. **5**, v. 3]; cela, radieux (288); pour (291); adonque (294); matrone (295); forma (296); par (297); donne jour (299); soin (305); groin (306).

— Étudier Ronsard *inventeur d'un mythe*.

— Étudier l'art, qui fait de cet hymne une « symphonie en or majeur ».

— Étudier l'humour de la conclusion.

37. À L'AUBÉPIN (p. 69).

Expliquer : avettes (12); gentil (13); alléger (16); s'écloront (22); tonnerre (27); ruer (30).

— Étudier la composition.

— L'inspiration gracieuse et profonde (cf. pour l'amour des arbres chez Ronsard, **62**).

— Le style (familiarité et poésie) [se demander si les corrections successives apportées par Ronsard à son texte sont toujours heureuses].

— Le mètre : analyse de la strophe; son caractère; son appropriation à l'idée [comparer *Avril*, de Remi Belleau (*la Bergerie*, première journée); *Sara la Baigneuse*, de Hugo *(les Orientales) ; Dans l'air*, chanson des oiseaux *(la Fin de Satan)*].

38. ODE EN DIALOGUE (p. 70).

Expliquer : bande (1); ce (2); nocher (5); poudre (12); fameuse gloire (13); âge, mémoire (15); gentil (17); ores (18); là-bas (18); chef (19); dessous (21); chaut (22); accident (23); là-haut (24); face (25); de (26); race (27); diffamé (28); dévote [différence avec religieuse] (30); ceux... leur (29, 31).

— Force du style.

— Solidité du quatrain. Forme dramatique donnée à l'idée.

— L'inquiétude des deux *immortalités* chez Ronsard : l'immortalité terrestre et païenne du poète (cf. **5** ; **9** ; **24**) et l'immortalité céleste et chrétienne de l'*homme* (cf. **35** ; **68**).

39. La Quenouille (p. 72).

Expliquer : la plus que bien venue (v. 25).
— Analyser les emprunts faits à l'épître de Théocrite.
— Définir l'originalité de Ronsard : 1º l'ingénieuse adaptation, à la circonstance et au lieu, du modèle ; 2º pittoresque et sensibilité dans les détails inventés ; 3º saveur du langage. [On pourra partir de ce texte caractéristique pour étudier l'application des théories de la Pléiade sur l'enrichissement de la langue : mots anciens ; mots de dialectes ; mots techniques ; mots forgés (cf. les notes) ; on expliquera et jugera les curieux repentirs du poète (notes 4, 7, p. 72 ; et 2, p. 73).]

40. À Sinope (p. 74).

Expliquer : verte jouvence (1) [cf. **17**] ; fleur (3) ; sentait (4) ; dans un marbre, en mon cœur (10) ; pour le jour d'hui (11) ; ravi (12) ; cela que vous êtes (13).
— Étudier l'élégance et la poésie du style ; l'harmonieuse composition du sonnet ; l'émotion et la délicatesse.
— Pourquoi Ronsard a-t-il condamné le sonnet ? (La réponse est dans les rimes des tercets.)

41. Élégie (p. 75).

Expliquer : à toute force (25) ; rembarrant, écorce (30) ; serve, appétit (33) ; gaillard, fureur, magnanime (35) ; en l'esprit (37) ; rage, félonne (41) ; de peu à peu, s'avancent (45). — Quel est le sujet de *tiendra* (61) et l'antécédent de *qui* (62) ?
— L'art : *a*) pittoresque généreux du style (cf. **23**) ; *b*) art de la comparaison (étudier de près la correspondance des deux termes).
— L'idée et le sentiment ; intérêt de cette confidence élégiaque ; comparaison avec d'autres poètes modernes qui ont ressenti comme Ronsard cette crise de la maturité et qui ont su se renouveler.

Questions générales sur la deuxième partie.

Étudier Ronsard imitateur d'Anacréon (**18, 19, 21, 22, 27, 30, 31**).
— Ronsard poète du vin et des roses.
— Retracer l'évolution de Ronsard de 1545 à 1560 en prenant des exemples précis dans les textes étudiés (on essaiera de suivre « l'homme » et « le poète » dans l'œuvre).
— Montrez que ce qu'on a appelé la *deuxième manière* de Ronsard (on tentera de la définir) est déjà en germe dans la *première*.

TABLE DES MATIÈRES

Imp. LAROUSSE, 1 à 9, rue d'Arcueil, Montrouge (Hauts-de-Seine).
Décembre 1933. — Dépôt légal 1933-4e. — No 4263. — No de série Editeur 4454.
IMPRIMÉ EN FRANCE (Printed in France). — 37.770 V-10-69.

les dictionnaires Larousse

sont constamment tenus à jour :

en un volume

NOUVEAU PETIT LAROUSSE

Nouvelle édition entièrement refondue et mise à jour : près de 5 000 articles nouveaux ; 50 % de l'illustration renouvelée ; nouveau format, nouvelle présentation. Le plus illustré, le plus complet des dictionnaires encyclopédiques en un volume.
1 896 pages (15 × 21 cm), 5 535 illustrations et 215 cartes en noir, 56 pages en couleurs dont 26 hors-texte cartographiques, atlas.
Existe également en édition grand format (18 × 24 cm), mise en pages spéciale, illustré en couleurs à chaque page : **NOUVEAU PETIT LAROUSSE EN COULEURS.**

LAROUSSE CLASSIQUE

Le dictionnaire du baccalauréat, de la 6e à l'examen : sens moderne et classique des mots, tableaux de révision, cartes historiques, etc.
1 290 pages (14 × 20 cm), 53 tableaux historiques, 153 planches en noir, 48 h.-t. et 64 cartes en noir et en couleurs.

DICTIONNAIRE DU VOCABULAIRE ESSENTIEL

par G. Matoré, directeur des Cours de Civilisation française à la Sorbonne. Les 5 000 mots fondamentaux de la langue française, définis à l'aide de ce même vocabulaire, avec de nombreux exemples d'application. 360 pages (13 × 18 cm), 230 illustrations.

en trois volumes (23 × 30 cm)

LAROUSSE 3 VOLUMES EN COULEURS

retenu parmi les « 50 meilleurs livres de l'année ».
Le premier grand dictionnaire encyclopédique illustré en 4 couleurs à chaque page, qui fera date par la nouveauté de sa conception. Reliure verte ou rouge au choix, 3 300 pages, 400 tableaux, 400 cartes.

en dix volumes (21 × 27 cm)

GRAND LAROUSSE ENCYCLOPÉDIQUE

Dans l'ordre alphabétique, toute la langue française, toutes les connaissances humaines. 10 240 pages, 450 000 acceptions, 32 516 illustrations et cartes en noir, 314 hors-texte en couleurs.

**un dictionnaire révolutionnaire
pour l'étude de la langue française**

DICTIONNAIRE DU FRANÇAIS
CONTEMPORAIN LAROUSSE

par Jean Dubois, René Lagane, Georges Niobey, Didier Casalis,
Jacqueline Casalis, Henri Meschonnic.

Réalisé par des universitaires et utilisant les méthodes les plus
récentes de la linguistique, ce dictionnaire de langue diffère tota-
lement des ouvrages traditionnels.

Aux élèves de l'Enseignement secondaire, à tous ceux qui, Français
et étrangers, enseignent ou étudient le français, comme à tous ceux
qui veulent trouver une expression exacte, le « Dictionnaire du
français contemporain » donnera les moyens d'exprimer leur pensée
d'une manière précise et sûre au niveau de langue et de style qu'ils
recherchent.

en un seul volume :

un dictionnaire de la langue écrite et parlée usuelle ;

un dictionnaire qui facilite l'acquisition des moyens d'expression
par les regroupements et les dégroupements de mots ;

un dictionnaire qui classe les significations d'un mot d'après les
constructions grammaticales ;

un dictionnaire de phrases où tous les emplois des termes de la
langue sont donnés avec les nuances qui les distinguent ;

un dictionnaire des synonymes et des contraires, avec leurs diffé-
rences de sens et d'emploi ;

un dictionnaire des niveaux de langue (familier, populaire, argo-
tique, langue soignée, littéraire,...) ;

un dictionnaire de prononciation utilisant l'alphabet phonétique
international ;

un dictionnaire de grammaire par les nombreux tableaux qu'il
contient.

1 volume relié pleine toile (18 × 24 cm), sous jaquette en couleurs,
1 252 pages, plus de 25 000 articles, 90 tableaux linguistiques.

dictionnaires pour l'étude du langage

une collection d'ouvrages reliés (13,5 × 20 cm) indispensables pour une connaissance approfondie de la langue française et une sûre appréciation de sa littérature :

**DICTIONNAIRE DES DIFFICULTÉS
DE LA LANGUE FRANÇAISE**
par Adolphe V. Thomas, couronné par l'Académie française

DICTIONNAIRE DES SYNONYMES
par René Bailly, couronné par l'Académie française

DICTIONNAIRE ANALOGIQUE
par Charles Maquet

NOUVEAU DICTIONNAIRE ÉTYMOLOGIQUE
par Albert Dauzat, Jean Dubois et Henri Mitterand

**DICTIONNAIRE DES RACINES
DES LANGUES EUROPÉENNES**
par Robert Grandsaignes d'Hauterive

DICTIONNAIRE DES NOMS DE LIEUX DE FRANCE
par Albert Dauzat et Charles Rostaing

**DICTIONNAIRE DES NOMS DE FAMILLE
ET PRÉNOMS DE FRANCE**
par Albert Dauzat

DICTIONNAIRE D'ANCIEN FRANÇAIS
par Robert Grandsaignes d'Hauterive

DICTIONNAIRE DES LOCUTIONS FRANÇAISES
par Maurice Rat

DICTIONNAIRE DES PROVERBES, SENTENCES ET MAXIMES
par Maurice Maloux

DICTIONNAIRE HISTORIQUE DES ARGOTS FRANÇAIS
par Gaston Esnault

DICTIONNAIRE DES RIMES FRANÇAISES
par Philippe Martinon et Robert Lacroix de l'Isle

DICTIONNAIRE COMPLET DES MOTS CROISÉS
préface de Raymond Touren